!

# ver!ssimo

© 2003 by Luis Fernando Verissimo

Todos os direitos desta edição
reservados à Editora Objetiva Ltda.,
rua Cosme Velho, 103
Rio de Janeiro — RJ — CEP: 22241-090
Tel.: (21) 2556-7824
Fax: (21) 2556-3322
www.objetiva.com.br

*Coordenação editorial*
Isa Pessôa

*Capa e projeto gráfico*
Pós Imagem Design

*Ilustração digital*
Ricardo Leite e Eduardo Varela
Pós Imagem Design

*Foto da escultura*
Marcelo Corrêa

*Fotos Verissimo*
Simone Rodrigues

*Revisão*
Neusa Peçanha
Renato Bittencourt

*Editoração eletrônica*
FA Editoração

V516b
    Verissimo, Luis Fernando
        Banquete com os deuses / Luis Fernando Verissimo – Rio de Janeiro: Objetiva, 2003.

    228 p.
    ISBN 85-7302-518-8

    1. Literatura brasileira – Crônicas. I. Título

CDD B869.4

LUIS FERNANDO
# ver!ssimo
## Banquete com os deuses

# Sumário

## Americanos imaginários

O cinema e eu, 15

Boca aberta, 19

Fascínio, 21

Hitchcockianas, 23

Fellini, 25

Herói juvenil, 29

*Apocalypse Now*, 33

Robert de Niro, 37

O poder e o charme, 39

Federico..., 41

O Chaplin das crianças, 45

Woody Allen e as lamúrias da existência, 49

Os espíritos da casa, 53

Começos, 55

Revisões, 57

Realismo mágico, 59

Preciosidades, 61

JFK, 63

O feitiço da vila, 65

"Pulp", 69

Melhores, 71

Um grande amor, 73

Autores atores, 77

"That's it", 79

Impostores, 81
O tempero da vida, 85
O ciclo, 87
Durango Kid, 91

## Afiando o cálamo

Fobias, 97
Mailer e Marylin, 99
Wilde, 105
Sartre e Huston, 109
Jorge, 111
A compensação, 113
Cabelos felizes, 117
Banquete com os deuses, 119
Cinqüenta anos depois, 121
Edmund Wilson, 123
Intelectual no poder, 125
Lolita, ou a memória da água, 127
Grande irmão, 131
Os dois Ulisses, 133
Fazer dançar os ursos, 137
Sinais mortíferos, 139
Professor Pelé, 141
A hora, 143
A gula, 145
Os anônimos, 147
Borgianas, 151
No céu, 157

## Coquetel de gênios

Miles Ahead, 167
Bretton Woodstock, 169
Porter e Gershwin, 173
Choque de culturas, 175
"Que reste t'il...", 177
George e os outros, 179
Aquela noite, 181
Torturante band-aid, 183
Jorge e Benny, 185
De Bob Fleming a Joe Bean, 189
Garoto de ouro, 191
Papo cabeça, 195
Steinberg, Saul, 199
Armação, 203
Duplas, 205
Lições erradas, 207
As torres do Morandi, 209
Seios e Rembrandts, 213
Interação, 217
A travessia, 221
Mulheres bonitas, 225
Pensar sobre pensar, 227

# Americanos imaginários

!

Você e eu somos americanos imaginários. Nossa experiência do Novo Mundo se deu, até agora, vicariamente, no escuro e seguro recesso das salas de cinema. Não vivemos nossa história, nós a assistimos. Há gerações que somos hóspedes formais e um pouco constrangidos deste lado selvagem da Terra, europeus transplantados em permanente e hereditário susto com a ameaça de rejeição. Reconstituímos nossa civilização ibérica na praia, timidamente, com sacadas rendadas para o mar, e protelamos o sujo trabalho de desbravarmos nossa própria fronteira. O mato persiste na imaginação nacional como a seara sombria de todos os terrores. No subconsciente de cada brasileiro, não duvido, vive a secreta certeza de que os índios um dia ainda se reagruparão e nos mandarão de volta às caravelas. Calcamos toda uma cultura sobre o provisório. Não existe lugar mais improvável para se erguer uma cidade do que aquela estreita faixa de terra pantanosa entre o mar e a rocha onde construíram o Rio de Janeiro e aí está: o Rio é o escandaloso protótipo do modo de ser brasileiro. A angústia de Brasília não é sua desolação futurista, é a distância que a separa das caravelas. O Rio, a vida provisória, era o nosso álibi. Certamente ninguém poderia nos acusar do crime da conquista se preferíamos o inocente lazer da praia à incerta e aviltante faina dos pioneiros. A custo decidimos trocar nossa inocência por um continente. E ainda há gente aterrorizada com as conseqüências, antevendo represálias atrás de cada arbusto. Ninguém faz história impunemente, sussurram, arrumando seus baús para a fuga. E o que vão dizer de nós na Europa?

Os norte-americanos não protelaram o seu crime, protelaram a culpa. Os heróis da nossa infância levavam a virtude no coldre e distribuíam rajadas de civilização. Sem piscar e sem remorsos. Você pode imaginar a Cavalaria Americana dando explicações para o mundo sobre o seu último massacre de índios? Ou Tom Mix entregue a dúvidas ético-existenciais sobre seu direito de quebrar a cara do bandido? A violência era o seu próprio pretexto. E nós, no cinema, vibrando. Conquistando o nosso oeste espiritual sem sair da praia. Matando de mãos limpas. A nossa inocência enclausurada no escuro. O nosso álibi intacto. E não foi só a fronteira que experimentamos por procuração. O crescimento, a aventura, o ápice e a decadência do Novo Mundo resumem-se na história, e no cinema, dos Estados Unidos como uma daquelas pantomimas que reproduzem todas as idades do Homem em alguns segundos sobre o palco. Variam os mocinhos e os vilões, mas o enredo é sempre o mesmo: a violência justificada em pias metáforas, os rituais de passagem incorporados à trajetória de um herói mais ou menos humano e seus triunfos creditados à livre iniciativa individual e à superioridade inerente ao homem branco, cristão e empreendedor. Assim o cinismo de Humphrey Bogart é uma arma de sobrevivência tão válida e defensável numa civilização industrial quanto era o revólver de Durango Kid na primeira etapa da aventura americana. Bogart representa o herói urbano às voltas com outra fronteira selvagem, a livre-empresa beirando o gangsterismo, mas a sua ironia não era ainda um sinal de reconhecimento da decadência iminente. Os heróis de Peckinpah,* sim, são protagonistas conscientes da derrocada. Neles, finalmente, a culpa alcança o crime. Neles a aventura desbravadora é desmascarada e a violência perde todos os seus disfarces.

---

* O filme de Sam Peckinpah a que esta crônica se refere é *The Wild Bunch*, lançado em vídeo no Brasil com o título de *Meu ódio será sua herança*. [N.E.]

# O cinema e eu

O Goida* se lembra não apenas do primeiro filme que viu na vida como do cinema em que viu, da fila em que sentou e das calças curtas que usava. Eu, infelizmente, não tenho a mesma memória embora não perca, em paixão pelo cinema, nem para o Goida. Falei em paixão e aí está: me vejo com quatro ou cinco anos no colo de uma empregada assistindo à *Paixão de Cristo* no velho Cine-Theatro Petrópolis, ao lado da igreja. Teria sido o meu primeiro filme? Que marcas terá deixado no espírito do autor aquela conjunção de apelos, o martírio do Senhor e o colo da empregada? Enfim, não existe mais o cinema nem a igreja, desconfio que nem a empregada e eu já não estou bem aqui, a questão é acadêmica.

Eu sei que não perdia filme do Tarzan. Sou Johnny Weissmuller contra qualquer outro, e não posso deixar de encarar esses Tarzans modernos e coloridos como impostores, e maus impostores. Hoje, numa revisão crítica, reconheço que Weissmuller tinha mais barriga do que era admissível, desempenhava bem contra jacaré, mas se deixava aprisionar com inquietante freqüência e, se não fosse a Chita vir soltá-lo, não sei não. Mas naquela época eu não fazia perguntas, só queria não perder nenhuma cena. Faz parte do anedotário da família a vez em que — para não ter que procurar o banheiro do Imperial e perder o melhor do filme — simplesmente fiquei em pé e urinei ali mesmo, no chão. Devo esclarecer que isto foi há muito tempo e não tem nada a ver com os atuais odores do Imperial, que devem ser creditados a outra geração.

Os filmes que eu vi mais vezes foram *Gunga Din* e, bem mais tarde, *A doce vida*. Há uma relação entre os dois exageros. Quando vi *Gunga Din* pela primeira vez a gente torcia pelos brancos contra os escuros sem qualquer escrúpulo, e a aventura militar — seja contra os fanáticos seguidores da deusa Kali ou contra os traiçoeiros peles-vermelhas no Oeste — proporcionava o roteiro para a vida imaginária que nos servia, o companheirismo de heróis, a violência ritualizada e o massacre consumido antes da hora de dormir. Contra os japoneses, a mesma coisa. Os alemães eram brancos, mas não eram democráticos como nós americanos, bala neles. Já Mastroianni e sua angústia fotogênica correspondiam a outros anseios juvenis, embora já passássemos quase todos dos 20 anos quando o filme apareceu aqui. Nada na amarga crônica de Fellini correspondia exatamente a nossa experiência provinciana, mas o seu desencanto era o nosso. Sabíamos exatamente o que ele queria dizer. O suicídio de Steiner também nos liberava de todos os compromissos cristãos, estávamos deliciosamente perdidos. Se era um filme tão inquietante, por que revê-lo tantas vezes e com tanto prazer? Como nos filmes de Tarzan, nós não fazíamos perguntas. *Gunga Din* me fez herói sem arriscar a pele, *A doce vida* me deu uma estética do desespero que dispensava o desespero. Viva o cinema.

Também há a fase em que filme bom é filme difícil. Filme que todo mundo compreende não pode ser bom. Isto passa. Vem uma fase de gostar de filmes que todo mundo gosta, mas por razões diferentes.

E a fase nostálgica: filme bom, só de 1953 para trás. Finalmente, a rendição. A paixão continua, mas você já não tem o mesmo entusiasmo de antigamente. Antes você tinha na ponta da língua seus três diretores preferidos, hoje confunde um pouco, é tanta gente, que fim levou o Laslo Benedeck? Teve sábado em sua vida em que você foi à sessão das oito, das dez e da meia-noite, depois pegou o último bonde no abrigo, lamentando que só vira três filmes. Hoje é difícil estacionar o carro, os cinemas não têm conforto, tem sempre o mesmo casal na fila de trás que não pára de falar, e ainda por cima vão passar um antigo com o Humphrey Bogart na TV... E você trai o cinema. Calhordamente, você esquece tudo o que ele fez por você e o abandona.

---

* Hiron Goidanich, crítico de cinema de Porto Alegre.

# Boca aberta

Quando eu era pequeno, não acreditava em beijo de cinema. Achava que eles não podiam estar se beijando de verdade, nos filmes de censura livre. Aquilo era truque. Me contaram que usavam um plástico, que a gente não via, entre uma boca e a outra. Isso no tempo em que as pessoas só se beijavam de boca fechada, pelo menos no cinema americano. Não sei quem me deu esta informação. Alguém ainda mais confuso do que eu.

Nos filmes proibidos até 14 anos, permanecia a idéia de que nos Estados Unidos o sexo era diferente. As pessoas se beijavam — de boca fechada —, depois desapareciam da tela, tudo escurecia e a mulher ficava grávida. Quando se via o beijo do começo ao fim, não havia perigo de a mulher engravidar. Mas quando as cabeças saíam do quadro ainda se beijando, e a tela escurecia, era fatal: vinha filho. Às vezes na cena seguinte.

Durante algum tempo, só filmes europeus eram proibidos até 18 anos. Você entrava no cinema para assistir a um filme "até 18" sabendo que ia ver no mínimo um seio nu, provavelmente da Martinne Carole. Não sei quando apareceu o primeiro seio americano no cinema. Mas me lembro do primeiro filme americano com beijo de boca aberta. Com língua e tudo. Bom, a língua não se via, a língua era presumida. Também não era beijo tipo roto-rooter, beijo de amígdala, como no cinema francês. Mas estavam lá, as bocas abertas, num beijo histórico. Depois do primeiro beijo de boca aberta, foi como se abrissem uma porteira e começasse a passar de tudo. Passa língua, passa peito, passa bunda... E em pouco tempo os americanos estariam transando sem parar. Era inacreditável. Americanos na cama, sem roupa, transando como todo o mundo!

Mas guardei o primeiro beijo de boca aberta no cinema americano porque me lembro de ter tido um pensamento quando o vi. Com aquele misto de carinho divertido e incredulidade com que recordamos nossa infância, que aumenta quanto mais nos distanciamos dela. Me lembro de ter pensado:

— Isto destrói, definitivamente, a teoria do plástico.

# Fascínio

**De todos aqueles ratos de cinemateca** que formaram a nova onda do cinema francês no final dos anos 60, só Truffaut ficou. Eu sei que os outros continuam aí, fazendo boas coisas, mas só de Truffaut pode-se dizer que se estabeleceu no ramo do cinema. *A noite americana* mostra o porquê. Truffaut nunca pretendeu do cinema nada além do cinema. O mais admirável em *A noite americana* é a sua contenção, a sua extrema economia de propósitos. Outro diretor teria aproveitado a oportunidade — um filme sobre a feitura de um filme — para armar um jogo intelectual qualquer, um truque de espelhos, a fantasia e a realidade, a arte e a vida, e olhem só como eu sou engenhoso. Truffaut, não. Faz um filme convencional sobre Truffaut fazendo um filme convencional. Mas Truffaut faz grandes filmes convencionais.

Não é que ele seja superficial. Fellini também é um superficial e substitui as idéias pelo barroquismo de imagem. Está certo, a imagem inteligente é uma das formas que o cinema tem de ser profundo. Truffaut não se interessa em ser profundo. A primeira mágica do cinema, o fato do cinema em si, já basta como fascínio. Nada de muito extraordinário acontece em *Noite americana*, e a grande homenagem de Truffaut ao cinema é transformar o fato corriqueiro de um filme sendo feito num espetáculo extraordinário. Truffaut, como todos da sua geração, começou no cinema pelo deslumbramento. A diferença entre ele e o resto é que ele continua deslumbrado. Durante as quase duas horas da *Noite americana*, o cinema reina e nos emociona. Profundamente. E Truffaut está tão comovido quanto a gente.

# Hitchcockianas

**Para um hitchcockiano como eu,** era um banquete. Pegamos o último dia da mostra *Hitchcock e a arte* no Centro George Pompidou, também chamado de Mausoléu do Robocop. A exposição incluía desde objetos famosos dos filmes de Alfred Hitchcock — o isqueiro de *Pacto sinistro*, a tesoura de *Disque M para matar*, a câmera com lente telescópica que o James Stewart usa em *Janela indiscreta* etc. — até exemplos da sua própria arte, ou da arte da narrativa cinematográfica, da qual ele foi um dos grandes mestres, passando por pintores e autores (e outros diretores) que o influenciaram e, em alguns casos (como Salvador Dalí em *Quando fala o coração*), foram seus colaboradores. Havia uma sala só sobre a conhecida mania de Hitchcock de aparecer em seus filmes, com a projeção de uma seqüência inteira de tais cenas, desde a primeira, que deve ser sua mais longa participação no cinema: Hitchcock é um gordinho brigando com um garoto que insiste em roubar o seu chapéu. Suas outras aparições foram mais discretas, e algumas exigiram alguma engenhosidade. No filme *Um barco e nove destinos*, que se passa todo dentro de um bote salva-vidas, por exemplo, o diretor aparece num jornal lido por um dos sobreviventes: ele é o "antes" e o "depois" num anúncio de regime para emagrecer. Certos paralelos sugeridos pela mostra, como o dos filmes de Hitchcock com outras artes — a literatura gótica de Edgar Allan Poe e o romantismo algo lúgubre dos pintores pré-rafaelitas ingleses, por exemplo —, parecem forçados, e há pouco sobre a relação de amor e ódio do diretor com as louras, mas o banquete não decepcionou.

Divagação inescapável. No meio de uma sala da exposição dedicada a outra mania de Hitchcock, a de filmar o desenlace das suas tramas em locais insólitos como a cabeça da Estátua da Liberdade ou as caras dos presidentes americanos esculpidas naquela rocha (em *Intriga internacional*), pensei em como ele levava a um extremo inglês — isto é, irônico e um pouco condescendente com a ex-colônia — o velho truque americano de usar a paisagem e as coisas do cotidiano como personagens de cinema, até como uma maneira de não ser europeu, de celebrar o comum e o antiartístico, artisticamente. Os personagens de Hitchcock vivem seus momentos decisivos na superfície de sólidos e indiferentes símbolos americanos, um pouco como ele, um intelectual europeu, fazendo a sua grande arte disfarçada de entretenimento popular, na cara dos americanos. As torres simétricas do World Trade Center representavam solidez e indiferença, e as esculturas trágicas das suas carcaças calcinadas também são exemplos de símbolos dramaticamente transformados em arte. Mas Hitchcock concordaria que isto é levar a humanização da paisagem um pouco longe demais.

# Fellini

Sendo o mais narcisista, Fellini é o mais italiano dos diretores italianos. E o mais divertido. O narcisismo italiano não implica introspecção ou exagerada auto-análise. Nem um fascínio exclusivo com o próprio umbigo. Ao contrário, é tão expansivo e abrangente que requer um espelho do tamanho da Itália. A paisagem italiana emoldura as poses de seus artistas e reflete suas caretas com cândida cumplicidade. A paisagem dispensa palavras. Assim a melhor comédia italiana não precisa da piada verbal ou de exagero da mímica para se realizar: basta enfatizar esta ou aquela característica nacional até o ridículo. E a autogozação é apenas o lado mais simpático do narcisismo. Para os diretores "sérios", a generosidade maternal do cenário não é menor. Lá nunca faltará a um Antonioni uma parede enigmaticamente branca contra a qual filmar suas angústias. Visconti não precisa ir mais longe do que o pórtico da sua casa para descobrir uma metáfora visual adequada à decadência que ele filma com tanta volúpia. Fora de casa eles se perdem. Sem um cenário loquaz, evocativo e familiar que os exima de entrar em detalhes ou recorrer às palavras, os dois quase se comprometem. *Os deuses malditos*, de Visconti, é fascinante como espetáculo, mas simplista nas suas implicações políticas e primário como uma ópera nas suas pretensões psicológicas. *Blow Up – depois daquele beijo* era um filme temático que funcionaria em qualquer cenário, mas *Zabriskie Point* chega a ser embaraçoso. Fellini não filma fora da Itália porque sabe que um minuto longe do espelho arruinaria sua imagem.

Fellini não se tortura com a impenetrabilidade dos objetos, com a indiferença das coisas que cercam o drama humano, como Antonioni. Também não tateia no cenário com a desencantada sensualidade de eunuco de um Visconti. O que interessa a ele é a superfície dócil, a seu serviço, a maneira como o jogo de luz e sombra contra aquela parede romana realça o seu perfil, ou como a fotogênica solidão desta rua provinciana evoca um seu estado de espírito na adolescência. Fellini serve-se da sua terra e dos seus conterrâneos com a inocente perversidade de um filho mimado. Ele próprio já descreveu a Itália como uma "mãe" absorvente, cálida, protetora e sufocante que inferniza a vida dos filhos, mas longe da qual é impossível viver. E a imagem é perfeita. No resto do mundo o Estado é uma projeção paterna: na Itália *la mamma* reina absoluta. Nem o fascismo escapou da tirania maternal. O que era Mussolini senão a personificação elevada ao absurdo do filho mimado na sua melhor roupa de domingo, posando de machão para o orgulho da *mamma*? Antonioni se refugiou dos seus carnudos tentáculos no ascetismo e no exílio. Visconti não perde oportunidade de lhe meter uma faca na barriga. Só Fellini a aceita, e usa, como um filho favorito. A sua superfície, o seu encanto visual, seus anacronismos grotescos, as suas tetas e os seus terrores. Fellini é o melhor diretor italiano justamente porque é o mais superficial, o mais egocêntrico, o mais posudo, o mais filho da mãe. Certamente o que o cinema ensina, ou deveria ensinar, é que não existe nada por trás do espelho, que qualquer busca de um "significado" oculto nas coisas se espatifa contra sua superfície. O cinema é a arte dos sentidos, não do intelecto. O drama humano pode ser contado numa sucessão de poses. E isso é ofício de narcisista. Quanto mais, melhor.

\* \* \*

*La mamma* e a Santa Madre. A identificação é inevitável. Para a imaginação infantil a mãe é ao mesmo tempo fada e megera, o colo farto e o domínio castrador. A Igreja também consola e castra, embala e sufoca. A sua presença na Itália é, literalmente, marcante. Quem escapa do seu regaço tem cicatrizes para alisar pelo resto da vida. O herói felliniano nunca se decide entre a mulher espiritual, angulosa, de boa leitura mas poucos quadris e suficientemente neurótica para ser um papo inteligente, e a Outra, a confortável Santa Madre, ou Sandra Milo, com a sua exuberância mamilar. Não era por acaso que Anita Ekberg aparecia em *A doce vida* vestida de padre estilizado.

Fellini, como seus heróis, hesita entre a pose de intelectual maduro e seu ninho despreocupado no seio da Igreja. Os dois impulsos se envenenam mutuamente. O ranço religioso não permite ao intelectual ir além de divagações juvenis estilo "se Deus não existe tudo é permitido", e como isso me chateia. A descrença entorta sua visão da experiência religiosa, e o ato de fé é sempre retratado como uma manifestação a ser lamentada da grotesca miséria humana. Quase todos os filmes de Fellini têm cenas de furor místico, filmadas invariavelmente *con brio* e ânimo vingativo. A procissão em *Estrada da vida*. A visita ao santo milagroso de Cabiria e seus amigos. As sessões com os espíritos de Julieta. A romaria ao local da aparição em *A doce vida*. O que salva Fellini é que, sendo um superficial incurável, ele se preocupa com a aparência mais do que com a essência do que filma. Com as poses, com o ornamento. Já houve angústia existencial mais fotogênica, mais glamourosa, mais atraente do que a de Marcello Mastroianni em *A doce vida* e *Oito e meio*? Da mesma forma a relação agressivamente incestuosa de Fellini com a Igreja, em vez de vir crivada de culpas e dúvidas sussurradas, é sempre mostrada com toda a pompa e bravura de uma alta missa. Nisso a Santa Madre e este seu filho malcriado se igualam; no amor narcisista pelo efeito e pelo espetáculo.

É bom lembrar que a idéia do antagonismo insolúvel entre corpo e alma é uma herança platônica e não cristã. Está implícita na doutrina da Igreja uma eventual ressurreição do corpo, se bem que velada e projetada para a Vida Eterna. A Renascença italiana não veio como uma agressão à Igreja. Foi, em grande parte, financiada por ela. E a Renascença reabilitava, em termos, o paganismo da era clássica. A Igreja no auge do seu poder homenageava o classicismo no seu auge e experimentava um pouco de saudável safadeza por procuração. No seu *Satyricon*, Fellini evoca a decadência da era clássica. Mas a evoca não do ponto de vista da Renascença e sim da Igreja medieval, para a qual o paganismo era um pântano sulfuroso habitado por monstros sem alma e sem reabilitação possível. Não quero cair aqui num psicologismo de almanaque, mas uma explicação plausível para esse enfoque surpreendente está nos traumas religiosos de Fellini. A sua queda do colo da Igreja, significando como significa o fim de uma fixação infantil, só pode ser vista como um processo de corrupção, de fim de inocência, de desamparo e desencanto. Do mesmo modo que Fellini usa as pompas da Igreja pelo seu poder evocativo, como uma maneira de exorcizar a sua fé e alisar suas cicatrizes, usa, no *Satyricon*, um paganismo imaginário, fantástico, repelente, para exorcizar seu humanismo anti-religioso. Pedir que suas imagens façam mais do que ilustrar esse infindável diálogo de Fellini consigo mesmo é pedir mais do que Fellini pode, ou quer, dar. Acho eu.

# Herói juvenil

Que fim levou o Roger Vadim? Não é uma preocupação trivial. É que aquela geração que ficou adulta, ou coisa parecida, no mesmo momento em que Brigitte Bardot revelava o seu popô ao mundo, viveu, desde então, uma certa confusão intelectual. Sabíamos que alguma coisa importante tinha nos acontecido no novo cinema francês, mas sempre imaginamos que fosse algo sério, uma proposta de engajamento pela arte, a idéia de que a segunda sessão do Ópera era não uma perda de tempo, mas um aprendizado para a luta possível. Resnais, Godard, talvez Chabrol, mas jamais Vadim, um juvenil e um inconseqüente. E hoje, mais velhos e safados, descobrimos que o que estava nos acontecendo de importante era mesmo o popô da Brigitte. Vadim é que era o cara. Levamos muitos anos para reconhecer esta admiração secreta. E hoje nos perguntamos, com remorso acumulado: que fim levou o nosso herói?

A Brigitte era virgem quando casou com o Vadim. Dado histórico. E Vadim transformou a sua esguia virgem provinciana no símbolo mundial do sexo sem culpa. Brigitte foi a primeira magrinha. Com ela,

Vadim deflorou todas as convenções do erotismo no cinema. A tradição literária de Candide, da ingenuidade solta num mundo pecaminoso, Vadim substituiu pelo ideal juvenil da sensualidade sem pecado e sem castigo. Com Brigitte, ao contrário de Candide, a inocência vencia porque atacava primeiro. A inocência predatória, com o popô de fora, irresistível. Nenhum filme político teve tanta influência nos costumes do mundo, ou foi mais divertido.

Jane Fonda também era virgem quando encontrou Vadim, pelo menos simbolicamente. Jovem americana, poucas idéias, mas grandes pernas, tentando a Europa. Saiu do casamento com Vadim com uma filha e uma consciência social, mas aposto que ele, hoje, quando pensa nela, deve se lembrar só das pernas. Quem mais? Meu Deus, Catherine Deneuve. A que, segundo o José Onofre, está sempre com ar de gripada, mas que mesmo assim nenhum intelectual de esquerda jogaria fora. Ele a teve também. E a Annette Stroyberg. E — ouço a platéia do Ópera exultando no escuro, lá se vão muitos anos de respeito e inveja — nenhuma jamais se queixou!

Que fim levou esse cara? Retirou-se para a vida contemplativa, o campo, alguns cachorros e suas memórias? Ficou impotente e agora só tem prazer flagelando velhas camponesas? Trabalha para a televisão? Ou nós estamos só mal informados e ele continua fazendo filmes que nunca chegam ao Brasil? Vadim nunca foi um grande diretor. É um herói cultural reabilitado porque sabia, muito antes do que qualquer um de nós, que para ser um intelectual, hoje em dia, basta parecer um intelectual. Duas ou três idéias e uma gola rulê, se tanto. Ninguém vai checar as suas credenciais. Todas as veleidades intelectuais de Vadim ele satisfez em alguns filmes profundos na superfície e, no fundo, superficiais, mas redimidos pelo seu vigor juvenil, pelo seu gosto em fazer cinema. Tinham a aparência de algo muito importante, não era preciso mais nada. Na época nós exigíamos mais do cinema do que uma superfície atraente. Hoje sabemos que o cinema de Vadim era só um pretexto para dormir com a atriz, e isso nos parece uma grande conquista cultural, e um consolo. Pois se não mudamos o mundo nem com luta nem com arte — pois se nem saímos de Porto Alegre — podemos dizer que não queríamos mudar nada mesmo. Queríamos é dormir com a Brigitte. Vadim nos realizou a todos.

# Apocalypse Now

Antes de mais nada, há Joseph Conrad. O seu *Coração das trevas*, que inspirou o roteiro de *Apocalypse Now*, é pouco mais do que um conto, mas tem a força de uma narrativa mítica. Uma viagem para dentro, para as fontes da demência e do mal, uma história mais antiga do que ela mesma. E também uma parábola sobre o imperialismo, talvez a primeira reflexão da Europa sobre a perversão da sua "missão civilizadora".

É uma história de dois homens, Marlow — Willard, no filme — e Kurtz, o agente da Companhia que ele vai resgatar do coração do Congo e da sua própria loucura. Uma história de dois rios, o Tâmisa e o Congo. Marlow conta sua aventura a bordo de um barco ancorado na boca do Tâmisa, esperando a maré para subir até Londres.

"Que grandeza", escreve Conrad, "não tinha flutuado na cheia daquele rio para os mistérios de uma terra desconhecida? Os sonhos de homens, as sementes de comunidades, os germes do império." Mas a primeira coisa que Marlow diz é: "E este também já foi um dos lugares escuros do mundo..."

Ele evoca a chegada dos primeiros romanos àqueles pântanos. "Em algum posto do interior eles sentem a selvageria fechar sobre eles, aquela misteriosa vida selvagem que se move na floresta, nos jângales, no coração dos homens... E não existe nenhuma iniciação nesses mistérios. Eles têm que viver em meio ao incompreensível, que também é o detestável. E tem um fascínio, também, que começa a agir sobre eles. O fascínio da abominação. Imagine o remorso crescente, a vontade de fugir, o nojo impotente, a entrega, o ódio."

Mais tarde, Marlow diz: "Nenhum de nós pensaria exatamente assim, é claro. O que nos salva é a eficiência, a dedicação à eficiência. Mas eles não eram muitos, na verdade. Não eram colonizadores. Eram conquistadores, e para isso é necessário apenas força bruta, nada do que se gabar, já que a nossa força é apenas um acidente que decorre da fraqueza dos outros. Pegaram o que podiam em nome do que havia para ser pego. Era apenas roubo com violência, assassinato em grande escala, e homens se atirando a isso cegamente — como é próprio em quem enfrenta a escuridão. A conquista do mundo, que quase sempre significa tomá-lo de quem tem uma pele diferente ou um nariz um pouco mais achatado do que o nosso, não é uma coisa bonita de ver. O que a redime é a idéia, apenas. A idéia por trás dela: não uma pretensão sentimental, mas uma idéia, e uma crença desinteressada na idéia — alguma coisa a qual se pode amar, e reverenciar e oferecer sacrifícios..."

Depois deste preâmbulo, Marlow conta sua história. Ele é o homem da eficiência, dedicado à eficiência e salvo por ela. Kurtz é a idéia corrompida, irredimível, revelada em toda a sua crueldade e futilidade nos últimos limites da razão. No Congo, porque foi lá que a idéia civilizadora o depositou, mas podia ter sido na nascente do Tâmisa na época em que aquele era um dos lugares escuros do mundo, se ele fosse um conquistador mais antigo. Marlow mantém a sua lucidez. Kurtz chega à sua epifania, à lucidez que destrói, do outro lado da loucura. A selvageria no coração dos homens. A selvageria da sua missão. O horror.

A Companhia nunca é identificada no livro, mas Marlow faz exatamente a viagem que o próprio Conrad fez como empregado da Societé Anonyme Belge pour le Commerce du Haut-Congo e que o marcou para sempre. As páginas em que Marlow descreve os negros incapacitados para o trabalho escravo, abandonados nas bordas da estação da Companhia para morrer sozinhos, são terríveis como qualquer cena do Vietnã. Conrad escreveu: "Antes da minha viagem ao Congo, eu era um animal simples." Nunca tinha visto nada tão poderoso quanto o coração das trevas. Antes de chegar ao autoconhecimento nos limites do seu império, o homem branco era um animal simples. *Apocalypse Now*, como *O coração das trevas*, descreve sua viagem para a revelação.

O filme está cheio de referências cruzadas. Marlon Brando, como Kurtz, cita T. S. Eliot. Entre os seus livros estão as poesias de Eliot e *The Golden Bough* e *From Ritual to Romance*, um estudo sobre a busca do graal sagrado e o sacrifício arquetípico de reis que Eliot recomendava para quem quisesse entender seu *The Wasteland*, um poema sobre a corrupção dos velhos valores europeus e da alta cultura cristã, sobre a falência das palavras antigas e a banalização dos mitos. Várias vezes, no livro, o narrador Marlow enfatiza que Kurtz é um homem de palavras levado à incoerência pela escuridão. A epígrafe do poema "Os homens vazios" de Eliot — que Kurtz cita no filme — é a frase com que no livro um nativo anuncia, com um certo deboche, a morte de Kurtz: "Mistah Kurtz, he dead."

No livro, Marlow diz que de alguma maneira toda a Europa contribuiu para formar Kurtz. Kurtz, para Eliot, é o homem europeu esvaziado, a sua retórica corrompida e a sua cabeça cheia de palha. De certa maneira, toda a América contribuiu para formar o Kurtz do filme. Ele é um oficial exemplar, um legionário da missão civilizadora naqueles pântanos, um agente da idéia que justifica a conquista e o assassinato. Uma das provas da sua loucura, na fita gravada que Willard ouve, é a incoerência. As palavras literalmente lhe falharam no coração das trevas. Ele só pode se comunicar com o mundo pelo ritual, que é o gesto do instinto que antecede a linguagem. Nada mais eloqüente do que uma cabeça decepada atirada no colo.

No filme, os americanos no Vietnã ainda são animais simples. Ao contrário dos romanos conquistando a Inglaterra ou dos belgas rapinando o Congo, eles nem saíram de casa. Transportaram a sua civilização para a floresta incompreensível. Fazem esqui nos seus rios, ouvem rock na estação do exército, recebem as coelhinhas da *Playboy*, compram e vendem eletrodomésticos. Willard num extremo e Kurtz no outro são os únicos lúcidos em meio a esta festa macabra. Como no livro, Marlow é salvo pela eficiência, Kurtz é devorado pela escuridão e o horror. No livro, Marlow não mata Kurtz. *O coração das trevas* foi escrito antes de sair *The Golden Bough* com sua relação de arquétipos míticos, talvez a obra literária mais influente deste século. O sacrifício de Kurtz por Willard, que só não assume o seu império porque não quer, dá ao filme a sua coerência mítica. Conrad provavelmente aprovaria.

Apesar da presença de John Millius entre os seus roteiristas *Apocalypse Now* só é um filme fascista na medida em que todo espetáculo que nos arrasa por todos os sentidos é fascista na sua imposição. Uma verdade cruel é que só uma civilização capaz de cometer o que cometeu no Vietnã é capaz de fazer um filme como este. Na sua força, na sua potência técnica, até na sua beleza plástica, o próprio filme como produto comercial é um comentário sobre a coerção americana e um exemplo de perversão. Redimida pelo que, afinal, redimiu os americanos no Vietnã, o autoconhecimento.

"Mistah Kurtz, he dead." Não existem mais animais simples.

# Robert de Niro

Miguel de Cervantes levou dez anos para escrever a segunda parte de *Dom Quixote de La Mancha*. Nestes dez anos, a primeira parte ficou famosa. De sorte que, quando o cavaleiro e seu fiel Sancho Panza retomam suas aventuras pelo mundo, é o mesmo mundo do primeiro volume, mas com uma diferença importante: neste mundo existe um livro publicado e muito comentado sobre as aventuras de um certo fidalgo chamado Dom Quixote de la Mancha e seu escudeiro, do qual o próprio Dom Quixote, tornado famoso pelo livro, ouve falar, embora não chegue a ler. As alucinações do Dom no primeiro volume tomam forma e o assolam de verdade no segundo, em grande parte porque, depois da publicação do primeiro volume, suas humilhações são esperadas, e provocadas, pelo público. E assim, como observou o escritor Martin Amis num comentário sobre a obra, o aristocrata enlouquecido pela literatura que se transforma no seu próprio personagem andante num mundo irreal, do primeiro volume, enfrenta uma realidade enlouquecida pela literatura, no segundo. Como o próprio Cervantes, que quando escreveu o segundo volume já não era o mesmo escritor, era o mesmo escritor tocado pelo sucesso da primeira parte, portanto com outra relação com seu personagem — e com a realidade.

Acho que o Borges tem um conto sobre a impossibilidade de desenhar um mapa cem por cento fiel do mundo e dos seus habitantes, pois o último homem desenhado teria que fatalmente ser o desenhista fazendo o desenhista fazendo o desenhista fazendo o desenhista fazendo o desenhista... O que impede que um filme com o, digamos, Robert de Niro seja um retrato cem por cento fiel, absolutamente realista, dos Estados Unidos? O fato que, nos Estados Unidos retratado no filme, não existe um ator chamado Robert de Niro, pois só isso explica que o personagem do Robert de Niro possa andar em qualquer lugar, no filme, sem que alguém grite "Robert de Niro!", e peça o seu autógrafo, ou comente a semelhança do personagem com o ator, estragando toda a trama. O que isto tem a ver com o Dom Quixote de la Mancha, Borges ou o que quer que seja, pergunta você? Estou surpreso de você ter chegado até o fim deste texto, quanto mais de ainda fazer perguntas. Não posso responder. Eu não estou aqui desde a terceira linha.

# O poder e o charme

Costuma-se apontar as críticas que são feitas à situação nos jornais ou em pronunciamentos da oposição como provas de que existe liberdade de expressão. É uma pseudoliberdade, porque é consentida — e até bem pouco tempo nem isto era — e porque é inconseqüente. Um filme como *Todos os homens do presidente* não é apenas sobre a liberdade de informação, é sobre a conseqüência que esta liberdade tem num país em que a imprensa age sobre o poder, em vez de apenas importuná-lo. Mais do que um filme sobre os desmandos do poder presidencial, *Todos os homens...* é também um filme sobre o poder do *Washington Post* em particular e da grande imprensa americana em geral.

Para um jornalista brasileiro, o mais incrível no filme é a facilidade com que os repórteres do *Post* pegam um telefone e perguntam para o figurão do governo o que querem saber. Não recebem evasivas, ninguém finge que caiu a ligação, são todos constrangidos a responder. Afinal, é o *Washington Post* que está na linha. É o fiscal, é uma das duas vigas mestras do *establishment* liberal, você simplesmente não mente para o *Post*. Ou então mente da maneira mais convincente que puder. Nixon e todo o poderio da Casa Branca contra o *Post* não foi exatamente uma luta desigual. A desvantagem estava com Nixon, como se viu.

Hoje sabemos que Nixon não teria caído, se não tivesse muita gente interessada em que isto acontecesse. Não foi uma conspiração, foi uma feliz coincidência de interesses. O filme não toca nisto. Não podia nem devia. A história foi escrita pelos dois repórteres envolvidos que nada sabiam — ou não queriam saber — sobre os outros interesses em jogo. O filme é sobre a sua aventura pessoal. Nenhum dos dois é político. A certa altura do filme, Woodward até se declara um republicano, o que, verdade ou não, combina com o seu tipo físico. O do ator e o do Woodward real. Bernstein é judeu, obviamente democrata, e o contraste que oferece, em tudo, à figura de Woodward é um dos atrativos incidentais do filme. Não se deve diminuir a importância dos dois atores para o sucesso de mais esta aventura do mocinho loiro e do seu amigo gozadão no cinema americano. Todas as histórias de detetive americanas são assim, uma investigação banal no começo que acaba revelando um complexo sistema de corrupção que só o herói solitário, pela persistência, consegue desmontar. E foi sorte também os dois se parecerem com Robert Redford e Dustin Hoffman. Até o Nixon, mais tarde, mais calmo, torceria por eles se visse o filme.

Dizem que as escolas de jornalismo dos Estados Unidos receberam inscrições em número recorde, depois que o caso Watergate estourou. O filme é, também, sobre o charme do jornalismo. O jornalista e o detetive não podem se queixar do prestígio que o cinema tem lhes dado através dos tempos. Com a diferença de que ninguém acredita na ficção do detetive mas o jornalismo continua a atrair cada vez mais pretendentes, embora sua realidade constantemente desminta o seu *glamour*. Não é uma profissão que gratifique nem com dinheiro nem com *status* nem com realização pessoal, salvo escassas exceções. E certamente não dá poder. A não ser que você vá trabalhar para o *Post* ou o *Times*. E mesmo lá você será usado.

# Federico...

**Federico Fellini se divertia** com o espanto do seu produtor.

— Você está brincando comigo, Federico.

— Não, não. É verdade.

— Não acredito.

— Mas é verdade. Meu próximo filme terá dois personagens. No máximo três.

— Eu estou sonhando.

— E só um cenário.

— Já sei. O Coliseu, todo pintado de rosa.

— Não. Um apartamento.

— Um apartamento enorme...

— Um apartamento de tamanho médio. De classe média. Decoração normal.

— Me belisca. Eu *estou* sonhando.

— Você não está sonhando.

— Já sei. Já vi tudo. Os personagens sonham. Sonhos espetaculares. Manadas de elefantes fosforescentes passeando pelas ruas da Babilônia.

— Não. Nenhum sonho. Apenas os dois personagens, acordados, dentro de um apartamento comum.

— Só isso?

— Só.

— Você não quer que eu mande construir um navio em tamanho natural?

— Não.

— Você não quer que eu encontre uma mulher com três metros de altura?

— Não.

— Dezessete anões com chifres?

— Não.

— Um hermafrodita albino?

— Pra que toda essa gente? Eles só encheriam o apartamento.

— E esses personagens, que tamanho têm?

— São pessoas comuns, de tamanho normal. Um homem e uma mulher. Talvez uma empregada, para servir o chá.

— Tamanho normal também?

— Normalíssimo.

— Federico! Olhe aí, eu estou até arrepiado. É tudo com que eu sempre sonhei! Uma história intimista. Uma produção sem problemas. Principalmente um orçamento baixo. Até que enfim!

— Que bom que você gostou.

— Tem certeza de que você não vai querer nem um elefante?

— Nem um gato.

— Deus seja louvado.

— Bem, talvez um gato.

— Certo.
— Caolho.
— Um gato caolho. Não tem problema.
— Dez gatos caolhos.
— Dez?
— Oitocentos.
— Federico...
— Isso. Oitocentos gatos caolhos. Mil. Os gatos estão por todo o apartamento. O casal não consegue sentar ou dormir por causa dos gatos. Os gatos comem a empregada. Os gatos ocupam todo o prédio. Toda a cidade! É isso! A cidade está tomada por gatos caolhos. Milhões de gatos caolhos. Anote aí: um milhão de gatos caolhos. Só o casal ainda não foi comido pelos gatos, porque...
— Federico...

# O Chaplin das crianças

Não faz muito tempo, passaram *Tempos modernos* aqui, outra vez, e a gurizada foi ver e gostou. Achou engraçado engraçado, não apenas engraçado curioso. Você e eu não temos mais condições de julgar um filme de Chaplin. A obra de Chaplin faz parte do nosso patrimônio cultural e mental. A gente a reverencia mesmo sem ver. Gosta por obrigação. Mas as crianças não tinham nenhum compromisso com Chaplin, mal sabiam de quem se tratava, e gostaram porque gostaram. E eu suspirei aliviado. Uma vez, tínhamos visto juntos uma coleção de curtas-metragens antigos — inclusive do Chaplin —, e a reação geral fora de profunda chateação. Minha também, só que eu não podia confessar. E saí da experiência com sombrias premonições. Acabara-se a inocência do mundo.

As pessoas se preocupam com o efeito da violência na sensibilidade das crianças, mas minha preocupação é um pouco diferente. Tenho medo que esta seja uma geração à prova de deslumbramento. Uma geração dessensibilizada não pela desumanidade que a técnica moderna transmite, mas pela própria técnica moderna. Certamente, não eram menos violentas do que os seriados de TV de hoje as comédias *pastelão* de 50 anos atrás, quando pastelão era apenas uma das muitas coisas que as pessoas levavam na cara. Mas a novidade do cinema — a primeira arte elétrica, o primeiro divertimento industrial — prevenia contra a banalização da violência. Todos os saltos dados pela técnica do entretenimento e da informação desde então nos encontraram dispostos ao deslumbramento. Me lembro que quando a televisão mostrou as primeiras tomadas da Lua, diretamente da nave que a circundava, ficamos, os adultos, de boca aberta, emocionados, na frente da TV até que uma das minhas filhas entrou na sala e perguntou quando aquilo ia acabar, que ela queria ver um desenho animado.

Sinto muito que meus filhos não terão mais nada com o que se emocionar no desenvolvimento da técnica de divertir, mas talvez seja melhor assim. A técnica não quer dizer mais nada para quem nasceu na era da televisão. A técnica já chegou a Marte e não tinha nada lá, grande coisa. Mas a simples astúcia do corpo de um comediante, a sabedoria de um gesto feito há 50 anos e mal preservado em celulóide, ainda é compreendida e ainda faz rir. Talvez o fim do deslumbramento com a técnica seja o começo da verdadeira inocência, depurada e receptiva, e muito mais bem informada do que a nossa.

A tentação da pieguice é grande, nesta hora em que fazemos a elegia não só de um grande artista como da nossa inocência superada, e a melhor maneira de evitá-la é elogiar aquilo que, em Chaplin, não pertence à nossa geração, mas a transcende. Quem, como eu, se criou numa época em que Chaplin já era mais uma legenda do que uma celebridade do cotidiano, herdou mesmo assim todas as conotações que cercavam o seu nome, desde o primeiro encanto com o cinema da geração que nos precedeu, até a solidariedade política com o homem internacional e perseguido. Mas o que transcende a nossa época e hoje encanta as crianças é o que importa em Chaplin. O Carlitos vagabundo que para duas gerações simbolizou a vítima de um mundo cruel, revisto com outros olhos, não se mostra tão vítima assim. Carlitos dava tanto quanto apanhava, e ficava com a mocinha mais vezes que a perdia. A máquina não derrotou Carlitos, como a técnica não dessensibilizou nossos filhos, e a permanência de Carlitos é a prova das duas coisas.

Carlitos era um irreverente, tão irreverente quanto Groucho Marx, embora sem as suas frases, mas a minha geração insistiu em sentimentalizá-lo até o desfiguramento. Desconfio que as crianças das nossas crianças rirão de nós tanto quanto de Carlitos quando, no futuro, revirem os seus filmes e as nossas elegias.

# Woody Allen e as lamúrias da existência

No filme *A última noite de Boris Grushenko*, de Woody Allen, a morte vem buscar Boris, que, a caminho do além, passa na casa da namorada, Sonia, para se despedir. Sonia pergunta como é a morte.

Boris (depois de pensar um pouco) — Sabe a sopa no restaurante do Lipsky?

Sonia — Sei.

Boris — A morte é pior.

No humor de Woody Allen é constante esta justaposição de extremos do impensável — a morte, Deus, o universo, o nada e "por que diabo estamos aqui, irmão?" —, com uma referência ao banal. No mesmo filme, Boris e Sonia discutem a idéia de que o homem foi feito à imagem de Deus.

Boris — Você quer dizer que Deus se parece comigo? Deus usa óculos?

Sonia (hesitando) — Bom, talvez não com esses aros.

A banalização das últimas indagações da existência serve, primeiro, para amenizar os seus terrores. ("O que você tem a ver com o universo?", pergunta a mãe do jovem Allen em *Noivo neurótico, noiva nervosa*, impaciente com a sua angústia precoce.) Segundo, para incorporá-las ao repertório de um cômico profissional que, no fim das contas, precisa ser engraçado antes de ser profundo. Woody Allen não é um filósofo. É um judeu da baixa classe média urbana do Leste dos Estados Unidos, como dez entre dez estrelas da comédia americana. Ele mesmo se situa na tradição dos *stand-up comedians*, como Henry Youngman, mestres da piada de uma linha e do monólogo, da troca de insultos com bêbados em clubes noturnos de costa a costa da América, embora reconheça que seu precursor direto seja Mort Sahl, o primeiro *stand-up comedian* cerebral. (Década de 1950. Sahl também foi o primeiro a fazer humor político de esquerda.)

A diferença entre Allen e os outros é que ele tem um pouco mais leitura e mais influência do contexto cultural de Nova York, podendo incluir mais significados num estilo de humor verbal que permanece, em essência, o mesmo desde o *vaudeville* e o *burlesque*. Mas, mesmo quando eleva o seu humor à metafísica, nunca falta a referência paroquial, americana, o contraste com o que existe. "Deus deveria nos dar uma prova de sua existência. Como repartir as águas do Mar Vermelho. Ou fazer o tio Sasha pagar a conta num restaurante." Outra versão da mesma piada é: "Se Deus apenas me desse uma prova de sua existência... como depositar uma grande quantia em meu nome num banco suíço."

O melhor humor americano é uma infindável lamúria pelos absurdos da existência urbana. Allen inclui a finitude humana, a transitoriedade do universo e as incertezas com a eternidade entre as contrariedades do cotidiano. "A minha preocupação constante é: haverá uma vida depois da morte? E, se houver, será que eles trocam uma nota de 500?" A maior piada de todas é que no fim a gente morre, mas ninguém ri disto. Se você disser, como Allen, que "o universo não passa de uma idéia passageira na mente de Deus — o que é um pensamento duplamente desagradável, se você tiver acabado de pagar a entrada da sua casa própria", fica engraçado. Você pode ser profundo na superfície porque no fundo tudo é superficial, da sopa do Lipsky ao infinito.

Allen pertence ao pequeno mundo liberal-intelectual de Nova York. Escreve para o *New Yorker*, apóia todas as causas corretas, freqüenta os cinemas de arte, almoça no Russian Tea Room e abomina a Califórnia. Mas, com a lúcida irreverência de um emigrado do Brooklyn, sabe que há mais pose do que conteúdo no estilo da ilha. Sabe que Nova York, como ele, consome cultura de segunda mão: o cinema — que não é feito lá — e o alto pensamento europeu. Por isto a sua técnica preferida é a paródia, a arte de segunda mão, uma maneira de reverenciar um estilo e destruí-lo ao mesmo tempo. Todos os filmes de Woody Allen até agora foram paródias, salvo o semiconfessional *Noivo neurótico, noiva nervosa*.

Em *Cuca fundida,* o primeiro livro de Woody Allen traduzido para o português (obrigado, L&PM), todos os textos são paródias. *O cara*, sabiamente escolhido como texto de abertura da edição em português — no original, se não me engano, era o último texto —, apresenta, combinadas, as técnicas favoritas de Allen, a paródia e a banalização do grande tema. No estilo de uma novela policial da década de 40, Allen conta a história do detetive particular contratado por uma loura estonteante para descobrir o paradeiro de Deus. No fim descobre que Deus está morto. A loura, uma catedrática de física disfarçada, o matou. Textos como *Os róis de Metterling*, *A história de uma grande invenção*, *Como alfabetizar um adulto*, *Os anos 20 eram uma festa* e *Conversações com Helmholz* são paródias de erudição.

Em *A morte bate à porta*, Allen transporta a velha imagem medieval do homem jogando a sua alma no xadrez com a morte, que

Bergman usou no filme *O sétimo selo*, para um subúrbio da classe média de Nova York. Nat Ackerman joga biriba com a morte — e ganha. *Contos hassídicos, Correspondência entre Gossage e Vardebian, Reflexões de um bem-alimentado, Conde Drácula* e *Viva Vargas* são paródias de formas literárias. Allen faz um humor intelectualmente pretensioso, cujo alvo principal é a pretensão intelectual. Não pode errar.

A idéia de que Woody Allen não pode ser entendido como deve fora do contexto intelectual judeu nova-iorquino me parece tão falsa quanto a idéia, que felizmente até hoje ninguém defendeu, de que Kafka não significa nada fora do contexto intelectual judeu de Praga na sua época. Não que Allen seja comparável a Kafka. A tradição do *stand-up comedian* é mais forte nele do que qualquer sombria herança literária da Europa Central. Mas certamente ele pode ser lido com prazer onde quer que coisas como a pretensão intelectual e o absurdo — sem falar na morte, em Deus, no universo, no nada e "será que na eternidade se consegue mulher?" — ocupem a mente das pessoas.

A tradução de Ruy Castro não surpreende. Está perfeita.

# Os espíritos da casa

O cinema americano sempre deu um valor mágico às coisas do cotidiano. Fred Astaire dançava com uma vassoura ou um cabide. Um manequim de costureira era objeto de uma ária de amor. Num desenho animado, um gato conversava com uma chaleira. As coisas da casa serviam para o drama e para a comédia e para estas formas tipicamente americanas de surrealismo que são o desenho e o musical. A própria casa americana era um emblema. Para uma geração criada a filmes americanos, o retrato da paz suburbana com que todos sonhavam era uma rua arborizada com guris sardentos entregando jornais, de bicicleta, as casas de duas garagens. Nestas casas habitava o bom espírito da domesticidade, o espírito padrão da gente normal, isto é, americana. Para o cinema, o terror americano estava nos becos das grandes cidades. E os maus espíritos, em góticas mansões retorcidas, longe dos gramados da classe média.

Em seus filmes Steven Spielberg leva ao extremo esta adoração das coisas da casa que é, no fundo, uma sacralização da infância. Mas também remexe os espíritos domésticos e descobre o terror na cara de um boneco ou na sombra de uma árvore na parede do quarto. O terror nas menores coisas, outra marca da casa na criança. *Poltergeist* e *E.T.* se passam praticamente no mesmo lugar, uma comunidade de casas novas para famílias novas, na Califórnia. Os dois filmes são delírios domésticos. Um, *Poltergeist*, da imaginação adulta aterrorizada pela perda das crianças. O outro da imaginação infantil ferida pela perda de um pai. Com um esforço *Poltergeist* pode ser visto como a luta da mãe para evitar que seus filhos nasçam de novo, sejam expelidos do ventre protetor da casa para o mundo mortal. O menino de *E.T.*, como o seu novo amigo extraterreno, quer que o lar lhe seja restituído. *Home*. Nos dois filmes, as mães são quase tão infantis quanto as crianças e acabam suas cúmplices. Se as crianças tivessem decidido ir com E.T. na sua nave, que parece a concepção espacial equivocada de algum artista do século XIX, a mãe poderia ir junto para cuidar de todos, como a irmã mais velha em *Peter Pan*. Em *Poltergeist* ninguém tem dúvidas, no fim do filme, de que a mãe conseguirá protelar o segundo parto das crianças por muito tempo ainda. A casa em *Poltergeist* fica em cima de um sumidouro que representa a morte, as coisas passadas, a degeneração. A casa em *E.T.* fica perto de uma floresta de histórias de fada, um cenário de encantamento. Em nenhum dos dois casos seus habitantes tinham que ir muito longe de casa para cumprirem suas fantasias. Para Spielberg, que deve ter sido criado numa comunidade parecida com esta, onde o resto do mundo só chegava pela TV, o universo da casa tem todos os terrores, e toda a magia, de que uma imaginação precisa. O subúrbio e suas mães esportivas são recriadas como mito. A magia do cotidiano nunca foi tão longe.

# Começos

Qual é o melhor começo de filme que você já viu? Lembro de três. Um ficou na história porque foi a primeira vez, salvo desmentido do Goida, que se fez prólogo no cinema. Ou seja, uma seqüência inteira antes de aparecerem o título e os créditos. Comandos ingleses desembarcam na África do Norte. Atacam uma fortificação alemã, metralham tudo e todos até serem dizimados também. No final da seqüência, um dos comandos, antes de morrer, pergunta a um soldado alemão: "Conseguimos pegá-lo?". O alemão sorri e faz que "não" com a cabeça. Surge o título do filme: *A raposa do deserto*. Sobre o indestrutível marechal Rommel. Outro começo antológico é o de *Janela indiscreta*, de Hitchcock. A câmera passeia por um interior. Numa única tomada, mostrando só objetos e fotos, sem o auxílio de uma palavra na trilha sonora, ela nos diz quem é e o que faz o dono da casa e como foi o seu acidente. No fim da tomada a câmera sobe pela perna engessada de Stewart e, quando enquadra o seu rosto, olhando pela janela, já sabemos tudo que precisamos saber sobre ele e sobre a situação. Não fosse Hitchcock o rei da síntese visual. Mas o melhor começo de todos, para mim, é o de *Yojimbo – o guarda-costas* (ou é o outro, chamado, se não me falham os neurônios, *Sanjuro?*). O samurai do Kurosawa vem por uma estrada e chega a uma encruzilhada. Não sabe que caminho escolher. Nisto, por um dos caminhos, surge um cachorro com alguma coisa na boca. Quando chega perto vê-se o que ele tem na boca: é uma mão decepada. O samurai não hesita. Segue pelo caminho por onde veio o cachorro, sabendo que no fim daquela estrada encontrará emprego. Você certamente terá começos melhores. Por favor, não os mande. Morro com estes.

# Revisões

Aquela atriz que faz a mãe do Seinfeld na TV, a Liz Sheridan, foi amante do James Dean quando os dois eram jovens à procura de emprego na Broadway. Seu apelido era "Dizzy" e ela acaba de lançar um livro chamado *Dizzy and Jimmy* sobre o namoro dos dois, que durou só até o "Jimmy" ir para Hollywood. Onde — como sabe quem tem mais de 50 — ele fez três filmes, transformou-se numa legenda e morreu num acidente de carro, não necessariamente nesta ordem. James Dean foi o rebelde sem causa original, um ídolo da adolescência incompreendida que os mais velhos, porque não compreendiam, chamavam de juventude transviada. Cumpriu o ideal romântico de viver com velocidade, morrer cedo e ser um cadáver bonito, que é ainda mais atraente quando o cadáver não precisa ser o da gente. A morte prematura também o salvou do destino de outras jovens legendas, que acabaram fazendo pontas, como Orson Welles de pregador em *Moby Dick*, ou Marlon Brando de baleia num possível *remake*. Ou algum parente engraçado do Seinfeld.

Pela resenha que li, o livro de lembranças da "Dizzy" é incomum porque trata seu assunto com carinho e não traz nenhuma grande revelação retardada — mesmo porque a bissexualidade de James Dean era conhecida há tempo. Já um livro recente sobre Saul Bellow, de James Atlas, uma biografia não autorizada mas tolerada, dá todos os podres do autor — misoginia, homofobia, racismo, arrogância intelectual, péssimo marido —, enfim, tudo que você tem o direito de ser, se você é o melhor escritor da sua geração. A posteridade não é mais um lugar seguro, e ela não está mais nem esperando você morrer para fazer sua autópsia moral.

# Realismo mágico

O filme é sobre o quê? Quem já teve de responder a esta pergunta sabe como é difícil a vida dos resumidores. *Titanic* é sobre um homem, uma mulher e uma pedra de gelo — entre outras coisas. Nenhuma história é "sobre" uma coisa só. Mas vivemos condicionados a definições instantâneas e classificações categóricas, e eu fiquei pensando em como descrever o filme *Eu tu eles*, do Andrucha Waddington numa frase.

É uma simpática comédia de costumes pitorescos, e não é. Não tem um desenrolar de comédia. Como o *Assédio* do Bertolucci, é menos um enredo do que uma situação. E como no caso do filme do Bertolucci, isso só aumenta o seu valor. Um filme bem-sucedido feito de uma situação só é um pouco como aquelas construções de som do Miles Davis em cima de um tema de três ou quatro notas, na sua fase "modal". Mas o filme também não é "sobre" uma mulher que vive com três homens, e variações em cima do tema.

Acho que *Eu tu eles* é um filme sobre a gentileza. Por isso é tão bonito. Não é uma falsificação do Nordeste como estão dizendo, sua beleza não está na exploração do exotismo fotogênico para exportação, mas na maneira como mostra a persistência, naquela paisagem, da consideração humana. Por isso, em vez de catinga *light*, é um dos filmes mais realistas já feitos sobre o brasileiro, pois certamente a questão mais real do Brasil que ele retrata é a resistência da simples bondade neste abandono. Também não se trata de um elogio sentimental da resignação ou da ingenuidade "pura" dos pobres. A personagem da Regina Casé é tudo menos uma ingênua. É uma sobrevivente com todas as cicatrizes da resistência, mas tem a compaixão dos seus homens e dos seus filhos que a vida e a sua terra não tiveram dela — além de malícia e tesão. Ajuda que a Regina Casé tenha na cara essa humanidade brasileira toda, essa decência teimosa que tentam, tentam, mas ainda não conseguiram destruir.

# Preciosidades

A programação dos canais de cinema da TV a cabo, com suas constantes repetições, nos permite rever — e rever, e rever — filmes favoritos, ou então ir revendo-os em drágeas: uma parte hoje, outra amanhã, outra no mês que vem... Estou ressaboreando pedaços do *Lawrence da Arábia*, do David Lean, discutivelmente a única grande produção do cinema que merece o prefixo "super" em todas as categorias. Vê-lo assim, ao fortuito, sem continuidade, só reforça aquela célebre máxima do Jean-Luc Godard que um filme precisa ter começo, meio e fim, certo, mas não necessariamente nesta ordem. Em qualquer ordem, *Lawrence da Arábia* é ótimo de se ver — e rever, e rever. E sempre que, prospectando os canais com o controle remoto atrás de preciosidades, dou com *A casa da Rússia* fico para assistir até o fim. Este é um exemplo de filme que não recebeu a atenção e os elogios que merecia, quando foi lançado. É, longe, a melhor adaptação de John Le Carré feita no cinema. Diretor: Fred Schepisi. Infelizmente, apesar de já ter visto passar os créditos umas 17 vezes, não guardei o nome do adaptador e do autor da extraordinária trilha sonora.

Sean Connery, um editor e saxofonista amador recrutado para uma missão na Rússia, é um típico personagem de Le Carré, um homem desiludido com todas as suas lealdades antigas e que acaba traindo-as por amor a uma russa. Ajuda, claro, o fato de a russa ser a Michelle Pfeiffer. O filme se passa já no ocaso da União Soviética, e o segredo que Connery é contatado para divulgar para o mundo, por um cientista russo impressionado com o seu humanismo e sua oposição aos "homens cinzentos" que, de um lado e de outro, gerenciam a guerra fria, é justamente que o poder soviético é uma mentira. A CIA reluta em aceitar a revelação porque ela também será um choque para a máquina de guerra americana, que precisa da ameaça comunista para faturar, mas concorda em participar da missão. Ninguém como Le Carré flagrou o ódio sutil na convivência dos serviços secretos americano e inglês, primitivos eficientes contra aristocratas excêntricos, e o filme também reproduz isto com perfeição. No fim Connery escolhe a russa e sua família como sua única pátria e trai para salvá-los dos homens cinzentos. Tudo isto contado por uma câmera que desliza com a mesma precisão, e arrebatamento romântico, da música. Pretendo ver de novo.

# JFK

Ironicamente, os poucos segundos de um filme de 8mm feito por um amador, o famoso *Zapruder film*, que registrou o assassinato de Kennedy e que é mostrado inteiro pela primeira vez em *JFK*, tornam o resto do longo filme de Oliver Stone quase supérfluo. Stone levanta várias teses conspiratórias (a única que não é citada é a de que o próprio Castro mandou matar Kennedy) e parece preferir a menos provável, a de que todo o "estabelecimento" político-militar americano ameaçado por uma suposta disposição de Kennedy de sair do Vietnã, se aproximar de Cuba e amenizar a guerra fria — uma especulação discutível, nada indicava que Kennedy seguiria uma linha menos dura depois de reeleito, como certamente seria — participou da trama ou ajudou a encobri-la. Foi um golpe de Estado, alega Stone. Mas nenhuma das teses de conspiração é tão inverossímil quanto a versão oficial de que Oswald sozinho fez todo o estrago que o filme de Zapruder mostra. Stone diz que não queria fazer nenhuma revelação, queria combater o mito oficial do assassinato solitário e autônomo com um contramito, para provocar uma reavaliação do caso. Conseguiu. Mas nada do que compilou ou inventou teria força, se não fosse a cena singelamente captada por Zapruder e a absurda explicação oficial para a trajetória daquelas balas. Foi ela que manteve viva a desconfiança de que esta era, decididamente, uma história mal contada e que agora, mostrada em detalhes, move o desejo de reinvestigá-la. E que, no fim, absolve os excessos que Stone montou à sua volta.

 O filme tem algumas desonestidades, e não apenas quando retrata Kennedy, um presidente com mais estilo do que substância, como um cavaleiro iluminado derrotado pelas forças obscuras que afrontava. Enfatizar o homossexualismo de Shaw para torná-lo um vilão padrão é uma delas. Uma amiga minha descreveu a sensação de ver o filme como a de estar num ônibus em alta velocidade, vendo passar cenas que precisariam de mais tempo para serem absorvidas, mas que se diluem no frenetismo geral. O roteirista e diretor quis incluir muita coisa, quis citar poetas demais e acompanhar a urgência da investigação com uma câmera irrequieta demais. Como já disse alguém sobre um filme do Antonioni, no sentido oposto: para filmar o tédio não precisa fazer um filme tedioso. Mas, com todos os seus defeitos, Stone produziu uma raridade, hoje em dia: um filme genuinamente engajado, feito com indignação. O rancor sacrifica a sutileza e às vezes a coerência, mas é a coisa mais admirável do filme. E, afinal, independentemente de teses e verdades, há quanto tempo não se via um bom drama político?

# O feitiço da vila

Los Angeles já foi descrita como uma coleção de vilas à procura de um centro, e uma destas vilas se chama Hollywood. A "Hollywood" do mito nunca ficou exatamente em Hollywood e quem visita o lugar atrás de vestígios da antiga glória se decepciona. O Hollywood Boulevard nunca foi o que se imaginava e hoje é a sórdida avenida central de um engano, vivendo do seu lixo: as lojas de lingerie barata e bugigangas sexuais se anunciam como "fornecedores das estrelas", e os turistas se examinam mutuamente na rua, com avidez melancólica, tentando identificar uma celebridade. Há algo de cruel neste choque de desmitificação: é como visitar a casa em que nascemos e descobrir um estacionamento. Mas também há algo de magnífico na persistência do mito em meio às suas falsas ruínas. Se a adoração continuada dos seus colonizados é uma boa medida, então "Hollywood" é a metrópole imperial mais bem-sucedida da história.

  *Sintonia de amor* (ou como quer que tenha sido o cretino título em português de *Sleepless in Seatle*) foi um dos melhores filmes de 1993 porque, além de ser um bom exemplo de um produto que a metrópole fazia como ninguém, a comédia romântica, era sobre a imaginação americana como uma colônia de Hollywood. Os amantes do filme vivem em extremos opostos de um país imenso que na verdade tem a unidade cultural e a memória coletiva de um cantão, cuja capital é Hollywood. Se nada mais der certo no presumível casamento dos dois, eles sempre terão Paris, e Casablanca, e uma longa lista de encontros e desencontros na plataforma do edifício Empire State, para lembrar, mesmo em cassete, e viverão para sempre enfeitiçados pelo passado — desde que nunca visitem o Hollywood Boulevard. O filme não recebeu a atenção crítica que merecia, talvez porque fosse tão evocativo do próprio espírito que examinava com tanta inteligência, e por isso parecesse menor. Nora Ephron escreveu um tratado definitivo sobre a frustração emocional do século, sobre o desencontro entre os nossos padrões de felicidade e a vida das nossas células. A boa e divertida história é só para ele descer melhor.

A colônia de Hollywood, claro, não é só a imaginação americana, é a imaginação de todo o mundo com corrente elétrica. Como todos os impérios, o da vila também se impôs destruindo culturas nativas e escravizando mentes. A diferença é que contra o feitiço deste império não bastam a sublevação social — nunca escravos quiseram tanto continuar escravos, ainda mais se os feitores forem a Sharon Stone sem calças ou o Richard Gere sem camisa — ou a reação econômica. Nas recentes discussões sobre livre comércio do GATT, tudo ficou resolvido entre os Estados Unidos e o resto do mundo menos a questão do quase monopólio americano no mercado internacional de cinema, talvez num reconhecimento tácito de que se trata de um sortilégio, nada que possa ser discutido racionalmente. O mesmo sortilégio que nos mantém acordados para ver a entrega dos Oscars, ano após ano. De olhos colados na

TV, somos como indianos assistindo a algum ritual do império inglês nos dias de fausto do Raj, vibrando com as cores e os paramentos com que eles nos dominam, de certa forma até orgulhosos da competência com que nos dominam. Não precisamos nos desculpar, é feitiço.

# "Pulp"

Com exceção do "Gimp", aquela figura vestida de couro que tiram da sua jaula para morrer sem dizer nada, todo mundo fala muito em *Pulp Fiction*. Todos têm teses sobre tudo, desde a massagem nos pés até a melhor maneira de disfarçar sangue no estofamento do carro, passando pelo hambúrguer, o *milk-shake* e as vantagens de uma argola na língua e um celular num assalto a banco. A banalidade sem parar dos diálogos funciona como um contraponto para a violência. Mas não estamos vendo mais um estudo sobre "A banalização do mal", estamos vendo a mitificação do banal, a autocelebração de uma civilização vazia. O filme é sobre o destino e o fortuito, mas é acima de tudo sobre os prazeres da vacuidade: tudo pode acontecer nesta Los Angeles sem significados, as pessoas podem dizer o que quiserem e um diretor pode brincar com o tempo, com a narrativa e conosco como quiser.

A literatura policial barata, impressa em papel feito de papel reciclado, dizia alguma coisa, mesmo que nem sempre soubesse o que estava dizendo. Tarantino quer o "pulp" sem a mensagem, quer resgatar do gênero só o papel sujo e as tramas insólitas. Quando o texto do filme tem coerência, ou pelo menos grandiloqüência, como nas citações bíblicas, é uma "mensagem" falsa que só se liga com a imagem pelo contraste. Tarantino não faz cinema *noir*, destrói a principal pretensão do cinema *noir*, que era justamente usar a linguagem de um gênero menor para sugerir algo maior. A cena que Tarantino mais gosta de fazer, tanto que fez várias, é a de pessoas se apontando armas ao mesmo tempo e decidindo como resolver o impasse. O gênero policial reduzido à sua essência, sem literatura, como o pênalti é o futebol sem a retórica: duas ou mais pessoas lidando com as probabilidades de arrebentarem a cara do outro sem perder a sua. O diálogo, numa situação desta, é secundário, é só um ruído feito para intimidar ou dar coragem ou se enganar. E, quando não estão se apontando pistolas, os personagens de Tarantino falam compulsivamente para não serem confundidos com algum lacônico e conciso personagem de Raymond Chandler, numa outra Los Angeles. Para que não se diga que seu filme é parecido com qualquer outra coisa jamais feita no passado.

# Melhores

Não me lembro de nada que tenha me dado tanto e tão constante prazer desde a infância quanto o cinema — incluindo aí mamadeiras, primas e gibis. A segunda melhor coisa que você pode fazer no escuro é ver um filme. A primeira é ver um grande filme. Obrigado, cinema.

Também quero aproveitar para fazer um levantamento das conclusões a que cheguei depois de uma vida de cinemeiro, de um ponto de vista estético, e levando em consideração a dinâmica da imagem significante enquanto contexto histórico/espacial neo-etc.

Melhor Tarzan: Johnny Weissmuller.

Melhor Robin Hood: Errol Flynn.

Melhor Sherlock Holmes: Basil Rathbone.

Melhor Drácula: Bela Lugosi.

Melhor monstro de Frankenstein: Boris Karloff.

Melhor Hamlet: Laurence Olivier.

Melhor Julieta: Grande Otelo.

Melhor grito de pavor: Barbara Stanwick.

Melhor homem branco desestruturado pelos trópicos: Trevor Howard.

Maior exemplo de desperdício, sem contar a batalha naval em *Cleópatra*: aquele filme em que a Nastassja Kinski passa o tempo todo dentro de uma fantasia de gorila.

Melhor bandido: Dan Dureya.

Melhor suor: Charles Laughton.

Fala mais inesquecível de um ator secundário num filme italiano: "Sportivo!".

Melhor símbolo de dissolução de costumes num filme nacional: Fregolente.

Melhores dez segundos de interpretação feminina sem palavras num filme em preto-e-branco: Shirley MacLaine em *Se meu apartamento falasse*, quando, no meio da festa de ano-novo, se dá conta de que o Jack Lemmon está sozinho em casa.

Melhores ombros: Joan Crawford.

Melhores seios: Martine Carol (o esquerdo) e Laura Antonelli (o direito).

Era o depoimento que eu queria dar.

# Um grande amor

Lembra o *King Kong*? Uma das grandes histórias de amor do nosso tempo. King Kong, o gorila gigantesco, amava Fay Wray como poucas vezes uma mulher foi amada por homem ou besta. No fim do filme, agarrado ao topo do edifício Empire State, com Fay numa das mãos, metralhado por aviões de guerra, o grande gorila tem um último gesto antes de cair para a morte. Coloca a sua amada carinhosamente num parapeito, a salvo das balas. E cai.

Mas e se King Kong não tivesse morrido? Se apenas se ferisse na queda e fosse levado, com guindastes, para um hospital? Ocupando 117 camas, com um carro-pipa de soro ligado à sua veia por mangueiras que transpõem janelas, quebrando termômetros especiais do tamanho de mastros e esmagando enfermeiras distraídas nas suas axilas peludas, King Kong recebe a visita emocionada de Fay Wray. Ela lhe traz um carregamento de bananas e uma banca de revistas, e quase chora ao percorrer os 50 metros de gesso da sua perna. King Kong emociona-se também e não pode conter uma lágrima que cai sobre Fay e quase a afoga. Minutos depois, já restabelecida, Fay jura que vai esperar o macaco na sua saída do hospital. Que juntos construirão uma vida nova.

Combinam que King não voltará a ser exibido como um monstro. Fay tem algumas economias e sustentará o casal até que ele consiga um emprego decente. Algo em comunicações ou vendas. Casarão no religioso, embora Fay preveja alguma resistência de parte dos seus pais.

"Eles são muito católicos e você nem foi batizado."

Kong dá boas risadas, fazendo tremer o edifício e interrompendo uma cirurgia no andar superior. Fay olha fundo nos olhos de Kong. Olha fundo num olho e depois corre para olhar fundo no outro. Mas o tempo passa.

Passa o tempo, e o tempo é o segundo maior inimigo do amor, depois da asma de fundo alérgico. Fay, aconselhada por amigos, não espera Kong na saída do hospital. Manda um bilhete lacônico dizendo que precisa reorganizar a sua vida e pensar em todas as implicações daquele caso, mas não vê razão para não continuarem bons amigos e que ele não deixe de telefonar de vez em quando.

Kong, frustrado, amassa um táxi com o punho. É preso por um batalhão da Guarda Nacional, mas Fay lhe consegue um bom advogado. Ela, no entanto, não aparece.

Kong telefona para Fay, mas não diz nada. Pela sua respiração ao telefone — parece um motor de caminhão com problema nas velas —, ela adivinha que é ele.

Kong tenta passar pela frente da casa de Fay sem ser percebido. Pisa numa árvore milenar e cai sobre duas garagens.

Kong se esconde atrás de um edifício para ver Fay sair do trabalho, mas desloca um fio de alta-tensão com o joelho e causa um incêndio de vários quarteirões.

Kong começa a beber. Invade uma fábrica de cerveja e bebe a produção de um mês em um gole. Com uma mão sustentando a cabeça e o cotovelo apoiado no telhado de um bar, o grande macaco canta velhas canções da sua raça, lamentações pelo amor perdido e a inconstância da fêmea.

Completamente bêbado, dorme embaixo de uma ponte e derruba a ponte com o seu sono agitado de amante ferido.

O prefeito reúne-se com Fay e sua família. A mãe de Fay está inconsolável. Fay sempre despertou grandes paixões nos meninos, desde pequena, mas aquilo é ridículo. E por que não podia ser um rapaz da redondeza, ou um médico, de preferência branco? Mas esta juventude de hoje em dia... O pai de Fay resmunga que a única solução para o caso é chamar os aviões de guerra outra vez. Fay protesta, e o prefeito explica que qualquer ação mais radical contra Kong pode afetar as relações exteriores dos Estados Unidos, especialmente com as novas nações africanas. Para o bem da comunidade, Fay precisa corresponder ao amor da fera. O problema não é mais apenas municipal. Diversos condados vizinhos queixam-se das canções noturnas de péssimo gosto e pior entonação do grande macaco. Nos confins do estado, velhas solteironas perdem o sono e o equilíbrio emocional com as lamentações do bêbado. O amor sem esperança é uma calamidade pública.

"Se pelo menos ele fosse mais discreto...", diz o prefeito, que pede para Fay reconsiderar.

Fay não encontra forças no seu coração.

"Não posso, não posso. Pensem só: que vida social nós poderíamos ter?"

Finalmente, o próprio Kong apressa sua ruína. Procura uma conselheira sentimental sobre o seu caso. Enfia a mão pela janela, pega a conselheira e a leva para o mato, para uma consulta. A pobre mulher é encontrada desfalecida de susto, no dia seguinte. Aproveitando-se de outra bebedeira de Kong que — descendo mais um degrau na sua degradação — agora só ataca fábricas de vinho barato, as autoridades o capturam e o deportam para a sua ilha de origem, apesar dos protestos de algumas organizações de esquerda.

    Na sua ilha solitária, Kong passará o resto dos seus dias (300 anos), rugindo de saudade. De vez em quando pegará um avião no ar e o sacudirá na palma da mão, na esperança de que Fay lhe caia outra vez entre os dedos. Pois terrível é o amor, e assim tem sido desde o princípio.

# Autores atores

No filme *O diário de Bridget Jones* tem uma cena em que aparece o escritor Salman Rushdie. A cena é de um lançamento literário em Londres e Rushdie faz o papel dele mesmo. Nada de mais. Tema para teste de memória ou passatempo trivial: de quantos escritores fazendo pontas em filmes você consegue se lembrar? Alguns fizeram mais do que pontas. Truman Capote era o dono da casa onde acontecem os crimes naquela comédia policial escrita por Neil Simon, cujo título, claro, só me ocorrerá quando você já estiver lendo isto. Capote, que nunca fez muito sucesso na França, porque lá "capote" é o apelido de camisinha e o gosto francês pela ironia não vai tão longe, só podia mesmo fazer um personagem fictício. Nem ele conseguiria interpretar o próprio Truman Capote convincentemente. No *Roma*, de Fellini, Gore Vidal aparece na *Piazza* Santa Maria in Trastevere cercado de admiradores e diz uma frase para a câmera. Algo na linha do que Karl Kraus disse sobre Viena, que lá estava se ensaiando o fim do mundo, ou coisa parecida. Woody Allen já usou vários escritores – como Susan Sontag e E. L.

Doctorow — fazendo depoimentos para a câmera, mas a aparição mais memorável de um escritor de verdade num filme dele foi a de Marshall McLuhan. Allen e outro discutem as teses de McLuhan numa fila de cinema e o debate só é resolvido com a convocação do próprio McLuhan, que por acaso está no saguão e dá os esclarecimentos pedidos — ou confunde ainda mais a questão, não me lembro. E me lembro do William Styron em outra comédia sendo acossado por um jovem escritor atrás de conselhos, com cara de quem preferia não ter aceito o convite.

Salman Rushdie, no simpático filme da Bridget Jones, só estaria seguindo uma tradição, mas não faz muito ele não aparecia nem em filmes nem em qualquer outro lugar. Estava escondido da vingança muçulmana por ter escrito *Os versos satânicos*. Parece que a sentença de morte foi suspensa, mas Rushdie pode ter decidido fugir da vida real para a ficção dos outros, convencido de que é mais seguro dar um toque de realismo a um mundo imaginário do que participar do que outro autor, John Le Carré, chama de "teatro do real", onde sua vida de verdade corre perigo. No teatro do real há sempre o risco de confundirem o autor com seus escritos e pedirem satisfações pessoais, e não demora os autores precisarão de atores para representá-los em público. Já nos filmes em que participam eles podem ser eles mesmos, sem a necessidade de dublês. Ainda mais que são quase sempre cenas de coquetel.

# "That's it"

No livro que publicou das suas conversas com Billy Wilder, Cameron Crowe incluiu os dez mandamentos de Wilder para roteiristas de cinema. Coisas como "agarre a platéia pelo pescoço e nunca solte" e "se você está tendo problemas com o terceiro ato, o verdadeiro problema está no primeiro ato". Mas a lista tem um mandamento a mais. Depois de seguir todas as recomendações de Wilder, o roteirista deve saber exatamente quando acabar o seu filme, e nunca passar do ponto. O décimo primeiro mandamento de Wilder é: "Pronto. Dê o fora." "That's it. Don't hang around".

Ele não seguiu seu próprio mandamento. Fez seu último filme em 1981, mas não deu o fora. Sua história já estava pronta, mas ele viveu até 2002, bebendo seus martínis de vodca, colecionando seus quadros e, quando procurado por adoradores como Crowe, dando os seus conselhos. Crowe aprendeu algumas das lições de Wilder. Também faz um cinema cínico e sentimental ao mesmo tempo, mas, a julgar pelo seu último, *Vanilla Sky*, não tem o senso de medida do mestre, que em filmes como *Amor na tarde*, *Quanto mais quente melhor*, *Se meu apartamento falasse* (escritos com I.A.L. Diamond) e *Pacto de sangue* (escrito com Raymond Chandler) fez algumas das obras mais bem proporcionadas de toda a história da arte popular. Crowe, principalmente, não aprendeu a não passar do ponto.

Wilder nasceu numa cidade polonesa que então pertencia à Áustria, se criou em Viena e fugiu de Berlim aos primeiros latidos de Hitler. É o melhor exemplo da grande mistura que deu a mentalidade "mittel" européia com o dinheiro e as possibilidades de Hollywood. Dos seus tempos de repórter em Viena gostava de contar da vez em que foi posto para fora da casa de Sigmund Freud, não sem antes espiar o seu gabinete e notar como era curto o famoso divã em que "herr Doktor" colocava seus pacientes — e concluir que todas as teorias freudianas eram baseadas na experiência de neuróticos pequenos.

Billy Wilder. E se nada mais tivesse feito, era quem melhor enquadrava a Audrey Hepburn.

# Impostores

Pegamos o vídeo da primeira versão de *O talentoso Ripley*, da Patricia Highsmith, para comparar com o atual. O filme do René Clement, *O sol por testemunha*, com o Alain Delon e o Maurice Ronet, envelheceu bem, ou não envelheceu nada, ao contrário de tantos da mesma época que a gente se arrepende de rever. (Tema para uma conversa mole: que clássicos do cinema resistiram ao tempo e podem ser revistos sem perigo de desilusão? Quase todos os Hitchcocks, nem todos os Orson Welles, alguns Fords e Capras, e olhe lá. Como os seus vinhos, os diretores da França e da Itália também envelhecem de forma desigual: Truffaut resistiu mais do que Godard e Resnais, os Fellinis são hoje mais tragáveis do que os Antonionis, embora na época parecessem mais ralos, e nenhum bate um bom Monicelli guardado na temperatura adequada. Mas este, claro, é um palpite puramente pessoal, baseado em poucas provas.)

O filme de Clement, com seu final moral e literalmente bem amarrado, é até mais jeitoso, mais redondo, do que a nova versão, do Anthony Minghella, que fica meio desconjuntada no final. Minghella foi mais fiel ao Ripley criado por Highsmith, que tinha uma certa afeição pelo seu anti-herói, tanto que o usou em outras histórias e nunca, que eu saiba, lhe deu o devido castigo. O novo Ripley é mais complexo do que o interpretado por Alain Delon, e sua relação com Dickie mais ambígua, e não apenas porque desta vez o homossexualismo é explícito. Há um constante jogo com espelhos, no filme. O superficial Dickie é uma criatura de espelhos. Ripley ao mesmo tempo o inveja e acha que pode melhorá-lo sob a superfície. Assumir a sua personalidade é uma forma de recheá-lo. O "Dickie" na pessoa do Ripley, ou o Ripley na pessoa do Dickie, é mais sensível e refinado, gosta de ópera em vez de *jazz*, é o filho que o pai do Dickie gostaria de ter. Mas, por mais talento que tenha, o impostor nunca será completamente o outro. Você pode fazer uma imitação perfeita de Chet Baker cantando "My Funny Valentine", mas jamais será o Chet Baker. Jamais deixará de ser o que você vê no espelho.

\* \* \*

O filme *Meninos não choram* não tem nada a ver com *O talentoso Ripley*, mas também trata da vontade de ser outro, e do desejo tragicamente punido. Todos os casos reais (como o do/da hermafrodita de *Meninos não choram*) de simulação sexual só ficaram conhecidos porque foram revelados, o que sugere a hipótese de que muitas figuras históricas enganaram com sucesso até o fim (por favor, não mande sugestões de nomes) e só seriam desmascaradas com uma autópsia. O tema da impostura é fascinante — não é outro o prazer da literatura de espionagem, onde a vida dupla assumida é um constante desafio à morte — e tem dado boas histórias, verdadeiras e fictícias.

O impostor bem-sucedido conta com a predisposição dos outros de acreditar na sua mentira. A suposta princesa Anastásia conseguiu convencer muita gente por muito tempo de que era uma Romanov e sobrevivera ao massacre da família do czar, embora não falasse uma palavra de russo. Fizeram um bom filme, *Seis graus de separação*, sobre o jovem negro que se apresentou em Nova York como filho do ator Sidney Poitier e viveu meses da generosidade de uma rica família nova-iorquina, encantada com a possibilidade de mostrar sua liberalidade e ainda conviver com celebridades. Depois o impostor acionou o autor da peça que originou o filme, John Guare. Queria uma parte dos direitos autorais, no que não deixava de ter razão. Era co-autor da sua própria história.

*Tootsie*, em que o Dustin Hoffman descobre que é melhor mulher do que era homem, também foi bom. Mas o melhor e mais injustamente desprezado filme sobre a impostura sexual é o *Yentl*, em que a Barbra Streisand, que o escreveu, dirigiu e estrelou, se redime de todos os seus outros exercícios de megalomania. Barbra quase sucumbindo à feminilidade doméstica de Amy Irving, com quem se casou para manter seu disfarce de homem, é um delicado estudo de ambigüidade sexual e confusão de sentimentos como o cinema nunca fez igual. E, ainda por cima, tem a música do Michel Legrand.

# O tempero da vida

Os filmes do Antonioni e do Bergman que a gente via e discutia com tanta seriedade anos atrás também eram uma forma de escapismo. Tanto quanto o musical e a comédia, aquelas histórias de tédio e indagações existenciais nos distraíam das exigências menores do cotidiano. Fugíamos não para um mundo cor-de-rosa, mas para outro matiz do preto, bem mais fascinante do que o das nossas pequenas aflições. Nenhum dos personagens do Antonioni ou do Bergman, embora enfrentassem seu vazio interior e a frieza de um universo indiferente, parecia ter qualquer problema com o aluguel.

Claro, o deserto emocional em que viviam os personagens do Antonioni, por exemplo, era o deserto metafórico do capitalismo, de uma civilização arrasada por si mesma. Mas estavam todos empregados e ganhando bem. E como era fotogênico o seu suplício. Com Bergman experimentamos o horror de existir, a terrível verdade de que somos uma espécie corrupta sem redenção possível e que a morte torna tudo sem sentido. Hoje suspeitamos de que se não vivesse na Suécia, com educação, saúde e bem-estar garantidos do ventre até o túmulo, ele não diria isso. É preciso estar livre das dificuldades da vida para poder concluir, com um mínimo de estilo, que a vida é impossível. Tínhamos uma secreta inveja desses europeus tão bem-sucedidos no seu desespero. Não tínhamos a mesma admiração por filmes em que as pessoas se preocupavam não com a ausência de Deus, mas de um contracheque no fim do mês.

Os que condenam as sociedades assistenciais costumam dizer que o Estado superprotetor rouba dos cidadãos as dificuldades que os desafiam e que são, afinal, o tempero da vida. E sempre citam as célebres estatísticas sobre suicídios na Escandinávia como prova do que acontece numa sociedade sem desafios. Pessoas morrem, sim, de autofastio ou porque Deus não existe, mas morrem por decisão própria. Nada decide por elas, nem a omissão de um governo nem o azar de ter nascido no lugar errado, na época errada e na classe errada. Não há equivalência possível entre morrer de tédio e morrer de fome. Está certo, o assistencialismo não funciona, o socialismo morreu, os liberais ganharam e a história acabou. Mas às vezes eu ainda me pego sonhando em sueco com uma sociedade pronta, sem qualquer destes desafios tropicais, em que a gente pudesse finalmente ser um personagem do Bergman, enojado apenas com tudo e nada mais.

# O ciclo

Claro que o *western* clássico não representou para a imaginação norte-americana o mesmo que representou para a nossa. Lá a trajetória glorificada do herói desbravador codificava, ao mesmo tempo que absolvia, a violência da conquista. Primeiro na literatura popular e depois no cinema, o *western* elevado à categoria de mito consagrou-se como a alegoria oficial para a grande e brutal aventura americana. Com ligeiras modificações, o herói do Oeste adaptava-se a qualquer cenário, à Chicago dos anos 20 tanto quanto ao Pacífico da Segunda Guerra ou — em *Os boinas verdes*, certamente o último *western* clássico da história do cinema — ao Vietnã. Para nós, o desbravador assumia todos os riscos e toda a culpa da conquista, e no fim nos presenteava, não com um continente, pois o nosso continuava virgem, mas com uma estética da conquista. Em vez de uma alegoria da ação, nascida da necessidade de legitimar em termos universais a violência da história norte-americana, uma cultura *prêt-à-porter* que nos eximia de fazer história.

Até pouco tempo, mesmo a melhor crítica de cinema dos Estados Unidos espantava-se com a importância que no resto do mundo se dava ao *western* e a diretores como Hathaway etc. É lógico. Lá o mito diluíra-se num ritual rotineiro, tão vital para a conservação de um *ethos* coletivo, mas ao mesmo tempo tão banal quanto, por exemplo, a missa de todos os domingos. Já para a crítica européia — a nossa inclusive — o mito conservava seu fascínio antropológico e sua função como metáfora daquilo que é, afinal, o cerne de toda a experiência do Novo Mundo: o encontro da civilização ocidental com os seus limites, o sangrento rompimento desses limites e a sobrevivência ou a transformação dos seus valores depois do rompimento.

Se o herói clássico do Oeste tinha significados diferentes para eles e para nós, é claro que sua decadência também tem. Os norte-americanos estavam muito ocupados fazendo a história do Novo Mundo para compreendê-la. Nós, com efeito, antecipamos a sua desilusão. Os semi-heróis dos primeiros filmes de Peckinpah estavam apenas cansados, mas nós já identificávamos por trás do seu desânimo uma ponta de remorso pela participação no crime da conquista. É muito recente, a súbita descoberta nos Estados Unidos da calhordice do seu passado e da hipocrisia dos seus métodos. O desgosto geral com a guerra no Vietnã teve muito a ver com isso, mas a ascendência da linha revisionista marxista entre os novos historiadores americanos teve mais. Para nós, bastou crescermos um pouco e descobrirmos os heróis da infância sob novo ângulo. Um leve reajustamento do enfoque estético. Para o norte-americano, a revisão da sua história imaginária chega às beiras da autoflagelação. A violência aparentemente gratuita de *Meu ódio será sua herança* deve ser vista como um ato de contrição. Nós nunca fomos mais do que isto, dizem finalmente os velhos desbravadores. Homens sedentos de lucro e sangue. No fim não fica nada. Nem a glória nem os espólios da conquista. Nem ideal. Nem história. Fica a mística do grupo, que antecede a todas as culturas. Fica o amor ascético entre homens. Fica o prazer de matar. Fica a morte, que lava toda a culpa.

Outra coisa, para mim a mais curiosa. *Meu ódio será sua herança* é o mais recente de uma série de *westerns* que se intrometem na história do México — violenta como poucas outras — e assumem por tabela um pouco da sua relevância política. É como se no fim das suas carreiras inglórias nossos heróis desiludidos quisessem pôr sua violência a um uso que os redimisse, ajudando a revolução. E assim nós, americanos imaginários, descobrimos nossos antigos ídolos transformados em latinos imaginários. O ciclo se fecha. É a nossa vez de subir ao palco e fazer história. O Novo Mundo está conquistado. Falta ajustá-lo.

# Durango Kid

O Millôr certa vez falou da sua emoção ao descobrir o lápis n. 1. Acho que todo homem reproduz, em algum momento da sua vida, a sensação do primeiro pré-humano que enfiou o dedo numa fava de mel e depois lambeu o dedo, e teve um vislumbre das dádivas do mundo — enquanto fugia das abelhas. O meu momento foi ao ver meu primeiro gibi a quatro cores. Quadrinhos coloridos! A vida tinha doçuras insuspeitadas. Mas nunca me orgulhei tanto do que fiz como quando construí um projetor com uma caixa de charutos e projetei na parede um filme desenhado por mim em papel de seda. O filme queimou em dois segundos, mas foram meus melhores dois segundos até agora. Meu pai trouxe um projetor de verdade, de 16mm, de uma viagem aos Estados Unidos, mas só dois filmes: um de patinação no gelo, com a Sonja Henie, para a minha irmã, e um do Durango Kid para mim. Víamos os filmes sem parar, e sem cansar. Veríamos qualquer coisa projetada na tela improvisada com o mesmo prazer. O que interessava mesmo era aquela mágica: cinema em casa!

Há algum tempo perguntaram a várias personalidades qual era o filme da sua vida. Curiosamente, os dois filmes mais citados, *Amarcord* e *Cinema Paradiso*, são evocações da infância em que o cinema é a referência comum. Como não eram filmes tão antigos assim, sua escolha foi uma maneira indireta de a maioria fazer a ligação de cinema e nostalgia, e dizer que nossa relação com o cinema é sempre a da fascinação infantil. O filme de Giuseppe Tornatore não é sobre outra coisa. O do Fellini é, entre outras coisas, sobre o impacto do cinema e tudo que ele representava na alma provinciana e na imaginação infantil. Crescemos todos num arrabalde de Hollywood, vendo as suas luzes de longe e sonhando em ser, conhecer ou (mais tarde) comer suas estrelas. *Amarcord* e *Cinema Paradiso* são os filmes das nossas vidas literalmente.

Não sei se eu teria algum prurido em repetir que o filme que marcou a minha vida foi o *Gunga Din*. Mas se fosse ser sincero e fiel aos meus excessos — devo ter visto o filme umas 20 vezes — votaria em *Gunga Din*. Depois, claro, *Casablanca* e vários Hitchcocks, como uma pessoa normal. Mas somos reféns sentimentais dos nossos prazeres mais remotos. Nenhum foi melhor do que aquele do Durango Kid.

# Afiando o cálamo

!

Afiar o cálamo ou a ponta da haste da pena de ganso com que escreveria deve ter ajudado muito escritor a pensar na primeira frase. Não fazemos outra coisa senão repetir este ritual de preparação, ou protelação, da primeira frase, dando uma atenção neurótica aos nossos instrumentos. Há os que apontam todos os seus lápis antes de começar a escrever, mesmo que depois escrevam a tinta. Os que transformam o correto enchimento de uma caneta-tinteiro (lembra caneta-tinteiro?) numa provação litúrgica, para merecerem a inspiração. Outros arrumam e rearrumam sua mesa de trabalho, numa espécie de oferenda aos deuses da simetria, para que eles retribuam organizando seus pensamentos. Por uma boa primeira frase faz-se tudo, e sei de gente que só escreve depois de um banho purificador, ou depois de passar meia hora atirando uma bola contra uma parede, ou de encher folhas e folhas com arabescos. (Dizem que aproveitaram tudo do Profeta: seus textos no Corão e seus rabiscos na decoração dos templos.) Mas nada se compara ao lento desbastamento de um cálamo, para pensar na primeira frase. Deve ser por isso que antigamente escreviam tanto, e tão melhor: quando acabavam de afiar as penas com capricho, todo o livro já estava pensado e pronto, só bastava botá-lo no papel. E como está provado que antigamente o tempo passava mais devagar, tudo se explica, ou tudo nos explica.

Não existe equivalente a afiar o cálamo para quem escreve num computador — salvo desmontar e remontar o aparelho, o que nenhum escritor sabe fazer. Ficamos reduzidos a manobras diversionistas: qualquer coisa para não enfrentar a primeira frase. Gostei de saber que o Chico Buarque também fica jogando paciência em vez de trabalhar. Nossa desculpa é que não estamos jogando, estamos distraindo a nossa atenção enquanto pensamos. Para evitar a primeira frase tenho me concentrado nos ícones do computador e agora mesmo — toda esta crônica, como já se percebeu, é um pretexto para não escrevê-la — me dei conta de que o símbolo para tempo no computador é uma ampulheta. Não a face de um relógio ou um quartzo pulsante, uma ampulheta! Quantas dessas crianças que já nascem com um *notebook* embaixo do braço sabem o que é uma ampulheta? E no entanto ali está ela, a única maneira que o computador encontrou de nos dizer para esperar um pouquinho. Um anacronismo desconcertante. Eram ampulhetas que os escritores de antigamente tinham ao seu lado, para lembrá-los dos prazos de entrega enquanto afiavam o cálamo. No fundo, mudou tudo no nosso ofício menos a angústia.

Pronto. Agora só me falta uma boa última frase.

# Fobias

Não sei como se chamaria o medo de não ter o que ler. Existem as conhecidas claustrofobia (medo de lugares fechados), agorafobia (medo da espaços abertos), acrofobia (medo de altura) e as menos conhecidas ailurofobia (medo de gatos), iatrofobia (medo de médicos) e até a treiskaidekafobia (medo do número 13), mas o pânico de estar, por exemplo, num quarto de hotel, com insônia, sem nada para ler não sei que nome tem. É uma das minhas neuroses. O vício que lhe dá origem é a gutembergomania, uma dependência patológica na palavra impressa. Na falta dela, qualquer palavra serve. Já saí de cama de hotel no meio da noite e entrei no banheiro para ver se as torneiras tinham "Frio" e "Quente" escritos por extenso, para saciar minha sede de letras. Já ajeitei o travesseiro, ajustei a luz e abri uma lista telefônica, tentando me convencer que, pelo menos no número de personagens, seria um razoável substituto para um romance russo. Já revirei cobertores e lençóis, à procura de uma etiqueta, qualquer coisa.

Alguns hotéis brasileiros imitam os americanos e deixam uma Bíblia no quarto, e ela tem sido a minha salvação, embora não no modo pretendido. Nada como um *best-seller* numa hora dessas. A Bíblia tem tudo para acompanhar uma insônia: enredo fantástico, grandes personagens, romance, o sexo em todas as suas formas, ação, paixão, violência — e uma mensagem positiva. Recomendo "Gênesis" pelo ímpeto narrativo, "O cântico dos cânticos" pela poesia e "Isaías" e "João" pela força dramática, mesmo que seja difícil dormir depois do Apocalipse.

Mas e quando não tem nem a Bíblia? Uma vez liguei para a telefonista de madrugada e pedi uma *Amiga*.

— Desculpe, cavalheiro, mas o hotel não fornece companhia feminina...

— Você não entendeu! Eu quero uma revista *Amiga*, *Capricho*, *Vida Rotariana*, qualquer coisa.

— Infelizmente, não tenho nenhuma revista.

— Não é possível! O que você faz durante a noite?

— Tricô.

Uma esperança!

— Com manual?

— Não.

Danação.

— Você não tem nada para ler? Na bolsa, sei lá.

— Bem... Tem uma carta da mamãe.

— Manda!

# Mailer e Marylin

Norman Mailer pertence àquela linhagem especial de escritores americanos cuja primeira preocupação intelectual é não passar por bicha. Hemingway é o protótipo da espécie e Mailer é seu descendente direto. Eles são crias de uma cultura que deve tudo às pragmáticas virtudes do pioneiro e para a qual os ofícios da imaginação valem um pouco menos do que outros pendores femininos, como a cozinha e a costura. O terror secreto da linhagem é que, ao primeiro ataque dos índios, sejam mandados para dentro do carroção com as mulheres e as crianças.

    Hemingway e Mailer são iguais nessa preocupação de fazerem a literatura parecer um respeitável ofício de macho. Se parecem também na medida em que construíram suas personalidades públicas a partir dessa mesma angústia, do medo de serem excluídos do culto da conquista e da coragem que informa os mitos masculinos americanos. Hemingway propôs a sua obra como uma longa negociação com a morte e a sua vida como prova de que não faltou a nenhum dos encontros.

Mailer tem desafiado mais o ridículo do que o destino com o seu comportamento público, mas isso também requer coragem. Hemingway era um solene caçador da planície, os seus inimigos ocupavam o horizonte, e ele os enfrentou de frente, até virar o fuzil contra a própria boca no encontro final. Mailer é um truculento guerrilheiro urbano que conhece os seus inimigos em cada esquina e em cada sala do governo. A besta, a prova do macho, para Hemingway, era a Morte. Para Mailer, é o Poder.

Norman Mailer é o escritor mais importante do seu tempo porque compreendeu isso. E porque vive nos Estados Unidos, onde a besta toma formas assustadoras, mas não tão opressivas que não possa ser caçada por um macho bem-disposto. A pretensão de Mailer é essa, a de negociar de frente com o Poder e comparecer a todos os encontros com a besta — seja como romancista, seja como repórter, seja como autor, diretor e ator de cinema, seja marchando contra o Pentágono ou se candidatando a prefeito de Nova York. Mailer quer se vingar do *ethos* pioneiro que há anos marca o intelectual como um inútil — ou o aceita apenas na forma do técnico, que é o intelectual sem imaginação — e se não conseguir derrubar ninguém do Poder nem mudar a opinião de muita gente, pelo menos vai incomodar e se fazer ouvir.

Mailer persegue a notoriedade como Hemingway se expunha à morte. Tornar-se uma celebridade foi a maneira que Mailer descobriu para desmentir a inutilidade do artista. A celebridade é uma láurea da conquista. O sucesso é a primeira virtude da América. Ganhando notoriedade como personalidade pública, Mailer se imagina em posição de desafiar o poder para o seu particular encontro final. Segundos fora.

A pretensão é ridícula, é claro, mas tem sido o tema das melhores coisas de Mailer. Toda a sua obra jornalística é sobre a relação do americano com as formas de poder na América, principalmente com o sucesso como simulacro do poder. Não admira a sua fascinação pelos Kennedy, que tinham sucesso real, poder real e eram celebridades além do poder. E não admira que no seu livro sobre Marylin Monroe, Mailer se identifique com Marylin — a celebridade sem poder — e culpe um dos Kennedy, indiretamente, pelo seu suposto suicídio. É uma briga entre fantasmas, o seu relato é um verdadeiro ofício da imaginação. Mailer está na sua.

\* \* \*

Marylin Monroe pertence à tradição hollywoodiana das *dumb blondes,* as louras infantis, burras em proporção direta à sua carnalidade, que proporcionavam ao público americano a possibilidade de aliviar suas angústias sexuais pelo riso. Desde a *vamp* dos filmes mudos que a vizinhança com o ridículo atenua, desarma o símbolo sexual no cinema. Marylin ainda pegou o fim dos inocentes anos de guerra e pós-guerra nos Estados Unidos, os anos das *pin-ups* favoritas dos soldados, das pernas de Betty Gable, do escândalo com os decotes da Jane Russel, dos assovios no cinema ao menor *close* de um traseiro feminino sob uma saia mais apertada. No princípio, aceitou o seu papel na dissimulação, e suas primeiras aparições no cinema — a cara de bebê, a voz melosa e as frases suspiradas, em contraste com o corpo nada inocente — foram quase caricaturas do sexo pré-desarmado que sustentava os sonhos da época. Depois tentou escapar, como artista e como pessoa. Quis aprender a interpretar. Casou com Arthur Miller, que ela tomou por um intelectual. Fez dramas, sem convencer. No fim, nem o seu suicídio convenceu. O público não sabia como aceitar um símbolo sexual sem a anedota correspondente. O suicídio de uma tradicional loura burra não foi trágico, foi apenas incongruente.

Mailer, pelo que sei do seu livro — que ainda nem foi publicado e já tem críticos das suas críticas —, parte desse domínio do mito sobre a pessoa para misturar o real — a tragédia de Marylin — e o fictício — o que Marylin representava para a imaginação americana —, e no seu conhecido estilo metralhadora dar rajadas nem sempre certeiras, mas sempre divertidas, na América em geral e nos seus sonhos de sucesso e poder em particular. Não importa que Robert Kennedy não tenha sido o último amante de Marylin e a provável causa do seu suicídio. Mailer diz que sim, e não é uma mentira, não é nem uma suposição, é uma verdade imaginada, um paradoxo tão aceitável quanto o de sexo e inocência que o público antigo exigia de Marylin. Nos livros de Mailer, todos os atos do poder nos Estados Unidos, desde os foguetes para a Lua até os truques de Nixon, respondem a um desejo ou a um temor no inconsciente americano. As celebridades da nação são como figuras num sonho, no desempenho de símbolos necessários. Tudo é metáfora. O encontro de Marylin com Kennedy é sonhado por Mailer, penso eu, como o encontro equivocado de uma América decadente, confusa com os seus símbolos e saudosa da sua inocência, e o príncipe da Primeira Família, o presumível salvador, a celebridade ungida pelo poder, que no fim a abandona. E se nada disso estiver no livro de Mailer, também não importa. Eu também posso imaginar, ora.

  Mailer gosta de se descrever, em relação aos outros escritores americanos, como um bom e esperto peso-médio contra alguns pesos-pesados sem muito talento. A sua personalidade pública — como a de Hemingway — também é uma metáfora, cuidadosamente fabricada por ele mesmo, e o que ela propõe é a necessidade do pensador, do homem de imaginação e sensibilidade, também se apoderar da imaginação americana e ser colocado por ela no ringue com o Poder. Com ironia, perseverança e um bom jogo de pernas — diz Mailer — ele pode não ganhar, mas vai deixar sua marca. Marylin era um frágil produto do meio-oeste, o seu sonho de sucesso acabava com a celebridade na cidade grande, o Nembutal e a morte. Mailer é um rápido judeu do Brooklyn, herdeiro de toda a sabedoria do mundo, e não se entrega tão facilmente. Diz ele.

# Wilde

**Oscar Wilde, que morreu há mais de 100 anos,** escreveu algumas das frases mais memoráveis e citáveis da língua inglesa para seus personagens, mas hoje o seu personagem mais lembrado é ele mesmo, e vários autores modernos o aproveitaram e botaram no palco com falas novas. Wilde aparece na peça de Tom Stoppard *The Invention of Love*, sobre o poeta e classicista A. E. Housman, como uma espécie de contraponto flamante ao sóbrio mas também homossexual Housman, dizendo coisas como "a arte não pode ser subordinada ao seu sujeito, pois neste caso não é arte mas biografia, e biografia é a malha através da qual a vida real escapa". E: "Melhor um foguete caído do que nenhuma explosão de luz. Dante reservou um lugar no seu Inferno para os deliberadamente tristes – os taciturnos no doce ar, como ele disse." E: "O artista é o criminoso secreto em nosso meio. É o agente do progresso contra a autoridade." E: "Um artista deve mentir, trapacear, enganar, ser infiel à Natureza e desprezar a história. Eu transformei minha arte na minha vida e fui um sucesso incondicional. O fulgor da minha imolação iluminou todos os cantos desta terra, onde jovens sem conta recolhiam-se, cada um à sua própria escuridão." E: "Eu despertei a imaginação do século." O Wilde de Stoppard diz tudo isto a Housman depois de morto, esperando o barqueiro que levará a alma dos dois para o outro lado.

Outro autor inglês que brincou de Wilde escrevendo para um Wilde fictício foi Terry Eagleton. Um dramaturgo surpreendente, pois é mais conhecido como crítico literário e pensador marxista. Na sua peça *Saint Oscar*, sobre o julgamento que condenou Wilde à prisão, Eagleton põe vários solilóquios wildianos na boca do escritor. A começar por sua apresentação à platéia: "Me chamaram Oscar Fingal O'Flahertie Wills Wilde. Outros ganham nomes, eu ganhei uma sentença inteira. Nasci com uma sentença sobre a minha cabeça." Depois de explicar sua gordura dizendo que come para compensar a fome na Irlanda, Wilde diz: "Sempre julguem pelas aparências, que são mais confiáveis do que a realidade. Os ingleses acham que isso é hipocrisia. Vocês se surpreendem que eles desconfiem de aparências, depois do que fizeram à metade do mundo? Eles fogem disso para um lugar interior chamado verdade. Um lugar profundo – como uma cloaca. Enquanto eu sou superficial, profundamente superficial. Não há nada à flor da pele na minha superficialidade." E sobre a sua mãe: "Uma mulher admirável. Talvez seja o que mais me desagrade nela."

Num dos seu solilóquios dirigidos à platéia, o "Wilde" de Eagleton diz:

"Tento não ter nenhum tipo de ressentimento social, mas não consigo evitar a inveja dos privilégios dos pobres. Eles estão livres da indigestão e do pânico na escolha do que vestir e não têm tempo para especulações metafísicas inúteis. É a sua naturalidade que eu invejo. Não, isso não é verdade. Detesto a Natureza. Ela me parece, de alguma forma, inepta. Um clichê. Observo uma pequena gaivota bicando perfunctoriamente à sua volta e a considero pouco convincente. Eu sei que eles se esforçam, mas os animais são atores atrozes. Sempre estragam tudo. A Natureza não tem o dom do improviso: está sempre tediosamente se repetindo. Enquanto eu nunca faço a mesma coisa duas vezes, e é isso que me torna tão fascinante. Toda a minha vida tem sido uma longa prática antinatural. Não sou previsível como uma couve-flor."

E: "É curioso como as pessoas ainda desaprovam a roupa, depois de tantos milênios. Consideram a nudez mais autêntica. Não posso imaginar um pensamento mais pervertido. A nudez sempre me pareceu tão artificial. Aparecer no tribunal totalmente nu – ah, essa seria a pose extrema. Tirem a minha roupa e a minha alma vai junto."

E: "Sou um igualitário: para mim todas as classes são vulgares."

E: "Sou socialista porque sou individualista. Como pode alguém ser um indivíduo neste esgoto de sociedade? Na minha santa devoção ao meu próprio ego prefiguro uma Nova Jerusalém, em que todos poderão ser, puramente, eles mesmos."

E, falando no tribunal que o condenaria: "Nunca entendi o sentido do termo moralidade, a não ser como um meio de opressão. Sou, em suma, um decadente. Mas temo que a saúde de vocês possa ser mais doentia do que a minha decadência. Melhor sensacionalista do que imperialista. Temo pela saúde moral de uma nação inteira obcecada em determinar qual é o buraco certo. Vocês subjugam raças inteiras, condenam a massa da sua própria população à miséria e ao desespero, e só conseguem pensar em que órgão sexual deve entrar onde."

E: "Vocês sustentam que homem é homem e mulher é mulher. Eu sustento que nada é simplesmente o que é, e que o ponto em que isso acontece se chama morte. Portanto exijo que meus defensores sejam metafísicos em vez de advogados e que o júri seja composto pelos meus pares – poetas, pervertidos, vagabundos e gênios."

# Sartre e Huston

Em outubro de 1959, Jean-Paul Sartre passou vários dias no castelo de John Huston, na Irlanda, para tratar do roteiro sobre Freud que Huston lhe encomendara. O roteiro, que chegou a ser publicado como livro, daria um filme de sete horas. E quando Huston pediu para Sartre reescrevê-lo, ficou ainda mais longo. Por isso conversariam. Infelizmente, não havia nem uma câmera nem um gravador por perto, naqueles brumosos dias de outono irlandês. Mas tanto Sartre quanto Huston escreveram a respeito do encontro. Ou desencontro. Numa carta mandada do castelo para Simone de Beauvoir, Sartre diz que a Irlanda parece um país agonizante. Todos emigraram para a América, deixando para trás uma paisagem "pré-lunar". E é assim que Sartre descreve a paisagem interior de "mon boss, le grand Huston". Ruínas, casas abandonadas, uma terra desolada com vestígios de presença humana, mas da qual o homem emigrou. "Não sei para onde", escreve Sartre. Huston não é exatamente triste. É vazio, salvo nos seus momentos de vaidade infantil quando veste seu *smoking* vermelho. E é impossível reter sua atenção por mais de cinco minutos. Um dia, falando sobre Freud, Huston revela a Sartre que no seu inconsciente não existe nada. "E o tom indicava o sentido 'mais nada', nem mesmo velhos desejos inalcançados", diz Sartre. "Une grosse lacune."

Já Huston escreveria, nas suas memórias, que nunca tinha conhecido alguém mais teimoso e categórico do que Sartre. "É impossível conversar com ele. É impossível interrompê-lo. Aconteceu uma vez que, exausto com o esforço, eu saí da sala por instantes. O som da voz dele me acompanhou, e quando voltei ele continuava falando. Não tinha se dado conta da minha ausência."

Huston fez seu filme sobre Freud, mas não com o *script* de Sartre. E jamais saberemos o que realmente aconteceu dentro daquele castelo úmido, entre dois ícones irreconciliáveis do século. *Une grosse lacune*, sem dúvida.

# Jorge

**Eu devia ter uns três anos de idade** e não me lembro de nada. A família já melhorara de vida, passara da fase que a minha mãe lembra como a fase dos caixotes — móveis improvisados feitos de embalagens de madeira — e ocupava um apartamento melhorzinho, grande o bastante para receber um hóspede, pelo menos um hóspede magro: Jorge Amado. Ele ficou alguns dias na nossa casa, escondido da polícia política. Minha irmã brincava de cabeleireira com seus cabelos, e ele inventou que eu não tinha cara de Luis Fernando, tinha cara de João. Até a última vez em que nos encontramos, me chamou de João. Não foram muitos os encontros. Ele fez mais algumas visitas a Porto Alegre — nunca mais como fugitivo —, a Lúcia e eu levamos nosso convite de casamento para ele e a Zélia no seu apartamento do Rio (minha intenção, confesso, era impressionar a noiva), eu fui visitá-los uma vez no apartamento do Marais, em Paris, depois participei das comemorações dos seus 80 anos, em Salvador, e conheci a casa do Rio Vermelho onde agora estão as suas cinzas.

Desde o seu rápido asilo conosco, ele e meu pai, Erico Verissimo, foram amigos, mas a amizade passou por alguma turbulência no final dos anos 40 e início dos 50, quando a questão do engajamento político dividiu os intelectuais do país. Meu pai contava uma cena dolorosa e cômica que se passara no banheiro de um quarto de hotel no Rio, ele dentro de uma banheira de água quente tentando aliviar uma cólica renal e ao mesmo tempo convencer o Jorge, sentado num banquinho ao lado, que, com toda a sua simpatia pelo socialismo, não podia aceitar o dogmatismo comunista e o totalitarismo, e o amigo tentando convencê-lo da justificativa histórica do stalinismo. Mas continuaram se gostando e se admirando, e acabaram se aproximando politicamente também, engajados no repúdio a qualquer sistema desumano. Quando o lamentável Buzaid, então ministro da Justiça, ameaçou instaurar a censura prévia de livros no Brasil, os dois assinaram um manifesto conjunto contra a idéia que ajudou a matá-la no nascedouro. Eles mantiveram uma correspondência esparsa mas afetuosa até a morte do meu pai. Depois disso, ele e a Zélia e minha mãe telefonavam-se freqüentemente — e as mensagens dele sempre incluíam "lembranças para o João".

***

Gosto de uma história que contou o pintor Calasans Neto, amigo de Jorge. A mãe do escritor comentou numa roda que, graças a Deus, seu filho nunca se envolvera em política. Depois de um instante de espanto silencioso, alguém disse: "Mas dona Eulália, o Jorge foi deputado constituinte pelo Partido Comunista!". E dona Eulália: "Ah, um partidinho de nada...".

# A compensação

Não faz muito, li um artigo sobre as pretensões literárias de Napoleão Bonaparte. Aparentemente, Napoleão era um escritor frustrado. Tinha escrito contos e poemas na juventude, escreveu muito sobre política e estratégia militar, e sonhava em escrever um grande romance. Acreditava-se, mesmo, que Napoleão considerava a literatura sua verdadeira vocação, e que foi sua incapacidade de escrever um grande romance e conquistar uma reputação literária que o levou a escolher uma alternativa menor, conquistar o mundo.

Não sei se é verdade, mas fiquei pensando no que isto significa para os escritores de hoje e daqui. Em primeiro lugar, claro, leva a pensar na enorme importância que tinha a literatura nos séculos XVIII e XIX, e não apenas na França, onde, anos depois de Napoleão Bonaparte, um Victor Hugo empolgaria multidões e faria história não com batalhões e canhões mas com a força da palavra escrita, e não só em conclamações e panfletos, mas, muitas vezes, na forma de ficção. Não sei se devemos invejar uma época em que reputações literárias e reputações guerreiras se equivaliam desta maneira, e em que até a imaginação tinha tanto poder. Mas acho que podemos invejar, pelo menos um pouco, o que a literatura tinha então e parece ter perdido: relevância. Se Napoleão pensava que podia ser tão relevante escrevendo romances quanto comandando exércitos, e se um Victor Hugo podia morrer como um dos homens mais relevantes do seu tempo sem nunca ter trocado a palavra e a imaginação por armas, então uma pergunta que nenhum escritor daquele tempo se fazia é essa que nos fazemos o tempo todo: para que serve a literatura, de que adianta a palavra impressa, onde está a nossa relevância? Gostávamos de pensar que era através dos seus escritores e intelectuais que o mundo se pensava e se entendia, e a experiência humana era racionalizada. O estado irracional do mundo neste começo de século é a medida do fracasso desta missão, ou desta ilusão.

Depois que a literatura deixou de ser uma opção tão vigorosa e vital para um homem de ação quanto a conquista militar ou política — ou seja, depois que virou uma opção para generais e políticos aposentados, mais compensação pela perda de poder do que poder, e uma ocupação para, enfim, meros escritores —, ela nunca mais recuperou a sua respeitabilidade, na medida em que qualquer poder, por armas ou por palavras, é respeitável. Hoje a literatura só participa da política, do poder e da história como instrumento ou cúmplice. E não pode nem escolher que tipo de cúmplice quer ser. Todos os que escrevem no Brasil, principalmente os que têm um espaço na imprensa para fazer sua pequena literatura ou simplesmente dar seus palpites, têm esta preocupação. Ou deveriam ter. Nunca sabemos exatamente do que estamos sendo cúmplices. Podemos estar servindo de instrumentos de alguma agenda de poder sem querer, podemos estar contribuindo, com nossa indignação ou nossa denúncia, ou apenas nossas opiniões, para legitimizar alguma estratégia que desconhecemos. Ou podemos simplesmente estar colaborando com a grande desconversa nacional, a que distrai a atenção enquanto a verdadeira história do país acontece em outra parte, longe dos nossos olhos e indiferente à nossa crítica. Não somos relevantes, ou só somos relevantes quando somos cúmplices, conscientes ou inconscientes.

Mas comecei falando da frustração literária de Napoleão Bonaparte e não toquei nas implicações mais importantes do fato, pelo menos para o nosso amor-próprio. Se Napoleão só foi Napoleão porque não conseguiu ser escritor, então temos esta justificativa pronta para o nosso estranho ofício: cada escritor a mais no mundo corresponde a um Napoleão a menos. A literatura serve, ao menos, para isso: poupar o mundo de mais Napoleões. Mas existe a contrapartida: muitos Napoleões soltos pelo mundo, hoje, fariam melhor se tivessem escrito os romances que queriam. O mundo e certamente o Brasil seriam outros se alguns Napoleões tivessem ficado com a literatura e esquecido o poder.

E sempre teremos a oportunidade de, ao acompanhar a carreira de Napoleões, sub-Napoleões, pseudo-Napoleões ou outras variedades com poder sobre a nossa vida e o nosso bolso, nos consolarmos com o seguinte pensamento: eles são lamentáveis, certo, mas imagine o que seria a sua literatura.

# Cabelos felizes

No seu livro *Literatura e os deuses*, o florentino Roberto Calasso fala no prazer provocado pelo que ele chama de literatura absoluta, no sentido estrito de *absolutum*: sem amarras ou referências, "livre de qualquer tarefa ou causa comum e de qualquer utilidade social", e na dificuldade em definir o que, exatamente, a faz absoluta e nos enleva. "Temos que nos resignar a isto: que a literatura não oferece qualquer sinal, nunca ofereceu qualquer sinal, pelo qual pode ser imediatamente identificada", escreve Calasso, um daqueles italianos, como o Calvino e o Eco, que leram tudo e sabem tudo. "O melhor, se não o único, teste que podemos fazer é o sugerido por Housman (A .E. Housman, poeta e latinista inglês): observar se uma seqüência de palavras, silenciosamente pronunciada enquanto a navalha matinal desliza pela pele, eriça os cabelos da barba, enquanto um arrepio desce pela espinha. E isto não é reducionismo fisiológico. Quem lembra uma linha de um verso ao se barbear experimenta esse arrepio, essa 'romaharsa', ou 'horripilação' como a que acometeu Arjuna no *Bhagavad Gita* quando se deparou com a epifania de Krisna. E talvez '*romaharsa*' seria melhor traduzido como 'felicidade dos cabelos', porque 'harsa' significa 'felicidade' e também 'ereção', inclusive no sentido sexual. Isto é típico de uma língua como o sânscrito que não gosta do explícito, mas sugere que tudo é sexual."

Viu só? O prazer estético, no fundo — ou, no caso, na superfície —, é igual ao prazer sexual, também se manifesta no homem e na mulher, com ou sem barba, por uma excitação da pele, por um movimento milimétrico de cabelos felizes. O arrepio que você sente ao ver uma frase ou uma pessoa particularmente bem torneadas é o mesmo, e é o que Arjuna sentiu diante da epifania de Krisna, só que em sânscrito. *Romaharsa*, guarde essa palavra. Quem sabe quando aparecerá a oportunidade de explorar o potencial erótico de uma citação do *Bhagavad Gita* dita assim no ouvido?

# Banquete com os deuses

Preparando seu livro sobre o imperador Adriano, Marguerite Yourcenar encontrou numa carta de Flaubert esta frase: "Quando os deuses tinham deixado de existir e o Cristo ainda não viera, houve um momento único na história, entre Cícero e Marco Aurélio, em que o homem ficou sozinho." Os deuses pagãos nunca deixaram de existir, mesmo com o triunfo cristão, e Roma não era o mundo, mas no breve momento de solidão flagrado por Flaubert o homem ocidental se viu livre da metafísica – e não gostou, claro. Quem quer ficar sozinho num mundo que não domina e mal compreende, sem o apoio e o consolo de uma teologia, qualquer teologia? O monoteísmo paternal substituiu as divindades convivais da Antiguidade, em pouco tempo Constantino adotaria o cristianismo como a religião do império e o homem perdeu sua oportunidade de se emancipar dos deuses.

A ciência, pelo menos até Einstein, nunca pretendeu desafiar a metafísica dominante, mesmo quando desmentia seus dogmas. Copérnico cumpria seus deveres de cônego da catedral de Frauenburg, enquanto bolava a heresia que destruiria mil anos de ensinamento da Igreja, e seu tratado revolucionário sobre o Universo heliocêntrico foi dedicado, sem nenhuma ironia que se saiba, ao papa Paulo III. Galileu também foi inocentemente a Roma demonstrar na corte papal o telescópio com o qual confirmara a teoria explosiva de Copérnico, talvez o exemplo histórico mais acabado de falar em corda na casa de enforcado. Quando foi julgado pela Inquisição, concordou em renunciar à idéia maluca de que a Terra se movia em torno do Sol, para ficar vivo, e a frase famosa que teria dito baixinho — "*E pur se muove*" — só foi acrescentada ao relato do julgamento um século depois, provavelmente também originando a frase: "Se não é verdade é um bom achado."

Quando o astrônomo Joseph Halley, o do cometa, entusiasmado com a recém-publicada *Principia* de Isaac Newton, quis dar uma idéia da importância da teoria newtoniana da gravidade e do movimento dos astros, disse que com ela "fomos admitidos aos banquetes dos deuses", pois até então a ciência só especulara sobre a geometria celestial — algo como o Woody Allen dizendo que fazer cinema sério, ao contrário de comédias, era sentar-se à mesa com os adultos. Com Newton passamos a conversar seriamente com os deuses. É curioso que Halley tenha preferido "deuses" a Deus, evocando o tempo pré-cristão em que as divindades andavam entre os homens e podiam até ser seus comensais. O trabalho de Newton fazia parte da "filosofia natural", o pseudônimo com que, na Europa do século XVII, a ciência especulativa convivia com a teologia. Ir aos banquetes com os deuses não era exatamente um ato de rebeldia com a teologia, mas era uma maneira de trazer a metafísica de volta a um plano humano. A luta pela emancipação continua até hoje.

# Cinqüenta anos depois

Devo ter lido o livro *O apanhador no campo de centeio* do J. D. Salinger umas duas ou três vezes quando tinha pouco mais do que a idade do seu herói, Holden Caulfield. Fui procurá-lo agora para ler de novo e não encontrei — e foi melhor assim. Os livros que nos encantaram na juventude tendem a perder seu encanto com o tempo, e o que antes era mágica vira banalidade. Com o cinema acontece a mesma coisa e são poucos os filmes, como *Sob o domínio do mal*, que ficam cada vez mais inteligentes.

Mas no caso de *O apanhador* desiludir-se com ele 50 anos depois talvez faça parte da experiência da sua leitura. No sentido daquele enólogo francês contratado para orientar a plantação de vinhedos e instalar uma vinícola, com tudo para produzir um vinho igual ao francês na Califórnia e que no fim de seu trabalho disse: "Pronto, agora é só esperar 300 anos." Se você, jovem, está recém-descobrindo o romance do Salinger, leia-o agora, depois espere 50 anos para ler de novo, e aí conversaremos.

Pois o livro é sobre o que todos nós fomos na adolescência, revoltados incompreendidos, nos achando melhores do que os adultos porque ainda não éramos ridículos como eles, e sobre a maior banalidade de todas, a protobanalidade que embala boa parte da arte humana: a perda da inocência da infância, a sua corrupção pela vida. Se o leitor também é um jovem, não identifica a banalidade, ou a toma como uma sacada e se encanta com ela. Cinqüenta anos depois, a banalidade fica evidente e isto de certa forma redime o livro, que tinha outras qualidades além do seu apelo a angústias juvenis.

Lembro-me de ler que os tradutores sugeriram outro título em português, em vez da versão literal de *The Catcher in the Rye*: *O sentinela do abismo*. Seria perfeito. O apanhador no campo de centeio tentava evitar que as crianças deixassem seu território mágico e se precipitassem, por assim dizer, na vida adulta, onde nunca mais seriam inocentes ou felizes. Reler o livro 50 anos depois deve ser como endossar a sua banalidade com um testemunho. Estamos lendo do fundo do abismo, e damos fé.

# Edmund Wilson

Edmund Wilson era uma raridade nos Estados Unidos, um autêntico e desavergonhado homem de letras. Os intelectuais americanos sempre tiveram um certo escrúpulo de parecerem homens cultos. Wilson fez uma profissão da cultura. Na biografia autorizada da maioria dos novelistas americanos que ganharam notoriedade nos anos 30, os anos da primeira grande crise do capitalismo industrial nos Estados Unidos, há um esforço transparente em dar como credenciais a experiência mais imediata e proletária possível da crise. Os que não foram boxeadores ou vagabundos antes de começarem a escrever foram choferes de caminhão ou lavadores de prato — até um aprendizado jornalístico era inconfessável, pelo que poderia sugerir de sofisticação literária —, e para todos "cultura" era sinônimo de uma sensibilidade inadequada à experiência urbana do novo mundo, quando não de afetação e bichice. (Hemingway dedicou a vida a convencer os outros do seu machismo. Nelson Algren até hoje gosta de ser fotografado fumando charuto e jogando pôquer com seus amigos marginais.) Wilson, por sua vez, pulou de Princeton, uma das mais aristocráticas universidades da aristocrática

Nova Inglaterra, diretamente para o mundo enclausurado das pequenas revistas de crítica e do *establishment* acadêmico, com freqüentes *tours* pelas ruínas da alta cultura européia. Jamais lavou um prato na vida. Mas, paradoxalmente, foi o primeiro crítico do seu país a situar as raízes da nova literatura americana na crise social do seu tempo.

Wilson compreendeu que os novelistas dos anos 30 procuravam transformar a violenta experiência da América num fato novo também da imaginação, enquanto a cultura européia se exauria tentando conciliar idéias antigas e nova realidade. O paradoxo de uma sensibilidade aristocrática revelando aos revolucionários a sua própria revolução, como Wilson fez com seus contemporâneos americanos, se explica. Não era a cultura clássica da Europa que informava a sua perspicácia e sim sua filha bastarda, a tradição herética que frutificara na revisão marxista. Mas assim como Wilson explicava, mas não imitava o estilo proletário dos seus contemporâneos (segundo o crítico George Steiner, Wilson escrevia a prosa mais elegante da América), também nunca foi um catequizador marxista. A percepção política era apenas um componente a mais da sua erudição.

Wilson limitou sua prosa elegante quase que exclusivamente ao ensaio e à crítica. Sua obra de ficção mais conhecida — *Memories of Hecate Country* — deve sua fama mais ao escândalo do que à qualidade literária: foi proibida em vários estados da América devido às suas descrições eróticas explícitas para a época, tímidas hoje em dia. Nos seus últimos anos, Wilson se notabilizou pela excentricidade. Andou envolvido com o governo por ter se negado a pagar seu imposto de renda, alegando que não tinha direito a nenhuma opinião sobre como o seu tributo seria usado, e, portanto, o reservava para seu próprio uso. Um de seus últimos livros publicados é uma elegia à velha casa senhorial na qual se refugiara da violência americana que tanto excitara sua imaginação na prosa dos outros, mas que agora só ofendia a sua sensibilidade aristocrática. Um velho e paradoxal homem de letras.

# Intelectual no poder

Nada é tão moderno em Shakespeare quanto os seus vilões. São quase sempre os únicos personagens lúcidos das suas peças, os únicos sem qualquer ilusão sobre a sua própria motivação e a dos outros. Edmund, o bastardo, em *Rei Lear*, ironiza "*the excellent foppery of the world*", a maravilhosa vaidade do mundo ao atribuir o mau comportamento humano à influência dos astros e à interferência do além. É um racionalismo surpreendente no começo do século XVII, quando o próprio Shakespeare não hesitava em recorrer a fantasmas e divinações para tocar suas tramas, e só explicável pela licença para serem céticos dada pelo autor aos vilões da sua preferência. No maior de todos, Ricardo III, a vilania autoconsciente parece ainda mais moderna porque envolve também uma fria reflexão sobre o poder e ao que ele obriga.

Personagens como Edmund e Ricardo III não são realistas — poucos bandidos têm uma noção tão clara da sua própria calhordice, ou a festejam com tanto gosto —, mas são grandes papéis porque neles o mal se auto-examina em grandes discursos cínicos, e poucas coisas são, dramaticamente, tão fascinantes quanto o cinismo ostentado, e ainda por cima bem escrito. O cinismo é a ironia com poder, ou a ironia no poder, e como a ironia é a província do intelectual, um intelectual no poder tem o mesmo privilégio do tirano mais bem articulado de Shakespeare, que podia ser Ricardo III e ao mesmo tempo se observar sendo Ricardo III e dizendo que o que é não é e o que não existe, existe. E se maravilhando com ele mesmo.

Maquiavel acabou como um símbolo de maquinações políticas obscuras, e só estava tentando inventar uma teoria do Estado urbano, quando as cidades-Estado recém-começavam a desafiar o poder feudal e não tinham nenhuma tradição sobre a qual construir. Ficou como o patrono da duplicidade e da manipulação do poder, porque as pessoas acreditam que o poder autoconsciente será sempre cínico, que qualquer pensamento sobre o poder será um pensamento sobre a mistificação. Assim qualquer intelectual que, como Maquiavel, não apenas pense no poder como o exerça, em cena ou nos bastidores, acabará com uma reputação de cínico, mesmo que não a mereça. É como se, para um intelectual no poder, não houvesse escolha entre ser autoconsciente ao extremo, como o Ricardo III, e não se entender direito.

# Lolita, ou a memória da água

**Há tempos apareceu uma teoria** segundo a qual existiria uma "memória da água". A água reteria nas suas moléculas uma "lembrança" recuperável de movimentos e efeitos. A teoria não foi provada, o que é uma pena. Suas possibilidades poéticas eram imensas.

O italiano Roberto Calasso, no seu livro *Literatura e os deuses*, escreve sobre uma "onda mnemônica", ou vaga de memória que invade a nossa civilização, a intervalos, vinda do passado clássico, com os deuses pagãos surfando em cima. (Esta imagem é minha, não do Calasso, que é um cara sério.) Através da História, ou nos deixamos inundar pela onda ou fugimos dela com braçadas decididas.

A Renascença foi uma "onda mnemônica" varrendo a idade das trevas da nossa praia. Já a maré baixa da onda, segundo Calasso, aconteceu na França do século XVIII, quando "as infantis fábulas gregas", junto com "o bárbaro Shakespeare e as sórdidas lendas bíblicas" foram todas sumariamente dispensadas, como "o trabalho de um esperto sacerdócio determinado a sufocar mentes potencialmente esclarecidas no berço", por gente como Voltaire. A onda voltou no século XIX com Nietzsche, que quis recuperar o pensamento mítico pré-cristão e costumava assinar suas cartas como "Dionísio".

Os deuses surfistas vindos do passado assumiam qualquer forma. Escreve Calasso: "Muitas vezes eram reduzidos à mera existência de papel, como alegorias morais, personificações, prosopopéias e outros engenhos do arsenal retórico." Ou eram "meros pretextos para o lirismo, nada mais do que sons evocativos". Em qualquer forma, seus anfitriões modernos os mantinham sob controle, eufemismados e disfarçados. Isto nas letras, porque nas artes plásticas houve uma enchente: os deuses heróis tomaram conta e durante quatro séculos foram sujeitos, ou no mínimo coadjuvantes, de toda a pintura e a escultura ocidental. E dê-lhe sátiros e ninfas. Principalmente ninfas. As ninfas trazem na "onda mnemônica" a forma mais antiga e potencialmente mais perigosa de matéria artística, segundo Calasso, que é a obsessão. Homero conta que Apolo, o Caçador Encantado, descobre uma ninfa e uma grande serpente guardando uma vertente de água doce. Tanto a ninfa quanto a serpente são aterradoras, pois o que elas guardam é uma fonte de sabedoria e poder que dará a Apolo o domínio do mistério fluido da vida pela arte, mas em troca o transformará num possuído. Ninfa e serpente são a mesma coisa, a sedução pela arte e a danação do artista na mesma conquista. A correspondência com a "sórdida lenda bíblica" do Paraíso perdido não precisa ser enfatizada.

*Nymphe*, em grego, quer dizer "menina pronta para o casamento" e também "fonte". Calasso: "Aproximar-se de uma ninfa é ser apreendido e possuído por alguma coisa, e imergir num elemento ao mesmo tempo terno e instável, que pode ser emocionante mas também pode muito bem ser fatal." Mas qual era o poder das ninfas, o que eram essas águas mágicas? Há um hino a Apolo que fala do *noeron udaton*, "as águas mentais" que são o presente das ninfas ao deus das artes. Uma vez conquistadas, as ninfas se ofereciam, e a sua oferenda era o *eídolon*, a imagem, o simulacro. Ou seja, a matéria da criação, a literatura. Cada vez que uma ninfa se oferece, evoca este poder que precede a palavra, este manancial de vida que abastece o artista, ou que ele imita, ou no qual se afoga.

Sócrates se descrevia como um *nymphóleptos*, alguém "capturado pelas ninfas". O mais notório *nymphóleptos* da literatura moderna é Humbert Humbert, o professor pedófilo da tragicomédia de Vladimir Nabokov, *Lolita*. O desafortunado Humbert Humbert é um "caçador encantado" que persegue a sua ninfeta até possuí-la (num motel chamado A Caçadora Encantada), e dali em diante é possuído por ela. Descrevendo sua emoção ao ver Lolita pela primeira vez no quintal da sua casa, seminua, "numa poça de sol", Humbert Humbert diz que "uma onda de mar azul" cresceu sob o seu coração. Parte da sua obsessão com a ninfeta é a memória que ela lhe traz de um amor pré-pubescente na beira do Mediterrâneo, a perdida Annabel, que deve o nome que Nabokov lhe deu a Annabel Lee do poema de Edgar Allan Poe. Outro *nymphóleptos*, outro possuído.

Nabokov, que se saiba, não era um pedófilo, portanto seu livro é um genial respingo de "onda mnemônica", ou um mergulho deliberado nas "águas mentais" de alusões e significados que a onda nos traz, lá de trás. Para Calasso, "a verdade esotérica" de *Lolita* está numa única frase de Humbert Humbert: "A ciência da nympholepsia é uma ciência precisa." O que Nabokov não diz é que esta "ciência precisa" é exatamente uma que ele exerceu durante toda a vida. Não a perseguição de ninfetas, mas a perseguição da palavra exata e do mistério que a ordena. Da literatura.

# Grande irmão

Tortuosos são os caminhos da língua. Espera um pouquinho, ficou meio pornográfico. Deixa eu começar de novo. É curioso o que o tempo e o uso fazem com alguns termos. "Kafkiano", por exemplo, já perdeu qualquer contato com a literatura que lhe deu origem e é usado por gente que nem sabe quem foi Kafka — o que não deixa de ser meio kafkiano. "Relaxado" não quer mais dizer relapso ou descuidado como no tempo em que me criticavam por não arrumar meu quarto, ou nojento só porque limpava ranho com a manga. Hoje se refere a quem, para usar outro termo alterado, "está relax", descontraído, numa boa, tomando seu drinque com guarda-chuvinha como se nada estivesse acontecendo. Etc. etc.

    Imagino que o *Big Brother* do título desse programa venha do livro *1984*, em que os habitantes do futuro imaginado por George Orwell viviam sob vigilância permanente de um poder totalitário e eram constantemente lembrados que "o Irmão Grande está vendo você". O *Big Brother* de Orwell não queria ver ninguém se amando, pois o sexo era proibido, e seu controle de cada movimento das pessoas era o principal terror do "paraíso" que Orwell previa para a humanidade, um olho implacável da moral dominante do qual era inútil tentar escapar. Corta para 2002. No Brasil, este outro falso paraíso, tem gente brigando para se expor diante do olho implacável e o que o *Big Brother* daqui, o grande público, mais quer ver é cenas de sexo. A câmera indiscreta a serviço de uma idéia obsessiva de organização social deu lugar a uma obsessão maior, a vontade universal de saber o que se passa na casa do vizinho. Não sei se houve ironia intencional (dos holandeses, é isso?) na escolha do nome do programa, mas ela é clara: 1984 já passou e o tirânico *Big Brother* do Orwell, felizmente, não veio, mas a sua idéia de câmeras bisbilhoteiras* era ótima. E elas servem a outra ditadura, que também nos manipula e tiraniza: a ditadura da desconversa. Pois se o Irmão Grande agora é o público, as câmeras reveladoras não se voltaram para o poder, voltaram-se para gente como nós, se expondo e fofocando por dinheiro. O controle é o mesmo.

---

\* "Bisbilhotar" vem do italiano *bisbigliare*, ou "parlare sommessamente, dire sottovoce, mormorare, sussurare" e, portanto, é outra palavra que se desviou no caminho.

# Os dois Ulisses

O Ulisses de Homero e o Ulisses de Dante se encontram no Ulisses de James Joyce. Encontram-se, mas não se fundem, transformam-se em dois personagens: Leopold Bloom, o Ulisses de Homero segundo Joyce, cuja aventura é uma volta para casa, e Stephen Dedalus, o Ulisses de Dante segundo Joyce, cujo exílio é uma aventura sem volta.

No texto de *Ulysses*, Joyce descreve Dedalus como um "partidor centrifugal" e Bloom como um "ficador centripedal". Na odisséia de um dia só que compartilham, os dois andam pelas margens da sociedade de Dublin como dois exilados na sua própria terra. Mas Bloom é um cidadão atrás de uma reintegração com sua sociedade e seu lar, Stephen é um poeta atrás de uma missão poética, a de criar a consciência da sua raça, como confessou em outro livro, quanto mais longe de Dublin melhor.

Bloom, como o Ulisses de Homero, reencontra sua casa e sua Penélope no fim. O fim de Dedalus é desconhecido, mas seu destino provável é um desastre, como o do Ulisses que Dante viu no Inferno.

Mas, dos dois, o único que poderia escrever *Ulysses* seria Dedalus. Pelo menos o "Ulysses" de Joyce.

Os Ulisses se dividem entre os que partem e os que ficam, ou entre os que voltam e os que seguem no exílio. O velho do Restelo, de Camões, não entende os que partem, e buscam o mundo quando já têm Portugal. Os que querem, inexplicavelmente, trocar a paz pela descoberta, a família pela aventura, a sabedoria pelo conhecimento. Enfim, o Tejo pelo mar. A origem do nome "Lisboa", por sinal (divagação tipo nada a ver), é "cidade de Ulisses".

Joyce escolheu ser um "partidor". O centro da sua ficção "centrifugal" foi sempre Dublin, mas uma Dublin vista de longe, reconstruída na memória como metáfora — como a Florença que expulsou Dante, e que ele continuou a habitar em pensamento e verso pelo resto da vida. Ou até voltar, velho, quando a reintegração é apenas uma fatalidade física, tipo todo morto volta para casa, não uma escolha consciente, ou literária.

De longe, Dedalus e Dante podem transformar a cidade que abandonaram em mito e poesia, cantar sua universalidade e lamentar sua corrupção sem serem distraídos pela realidade. De mais longe ainda, em *Finnegans Wake*, sua biografia cifrada da humanidade, Joyce pode usar Dublin como a metáfora definitiva, uma metáfora de tudo. De longe, pedra e gente viram linguagem e qualquer cidade vira literatura.

Todas as grandes narrativas religiosas têm uma cidade no seu centro, tornada mítica pela distância. As pedras de Jerusalém são nada comparadas com a Jerusalém do livro, com a promessa e com a lamentação da promessa perdida, na linguagem poética do exílio. Meca é o centro de outro sistema simbólico, ou de outra literatura sobre uma integridade perdida e desejada, construída não em cima de uma pedra, mas em cima de uma distância. Os dois Ulisses representam, no fim, duas formas de distância do nosso centro, do que nos reintegra ou do que nos revela. A casa ou a descoberta, a sabedoria ou o conhecimento. Eles são dois tipos de exilados, o que volta, como o Ulisses de Homero, ou o que segue, como o Ulisses de Dante. O Ulisses bipartido de Joyce volta e segue.

Leopold Bloom (que Joyce fez judeu) tem a sua Jerusalém à mão, não precisa mais do que voltar para o número 7 da Eccles Street e os braços bem fornidos de Molly para sair do exílio. Stephen Dedalus prefere continuar a aventura. Partirá de Dublin, escreverá *Ulysses* e *Finnegans Wake* e se não "fabricar a consciência ainda irrealizada da sua raça na forja da sua alma", como era sua intenção, pelo menos causará algum efeito na linguagem da sua espécie. Reduzindo tudo, que remédio, às dimensões da nossa alma portuguesa, ele deixará o Tejo e escolherá o mar. Escolherá a distância.

Ficar, de certa maneira, é renunciar ao conhecimento, talvez a forma mais perfeita de sabedoria. Nenhuma revelação, nenhuma epifania, nenhuma literatura, apenas uma entrega à sua cidade e às suas circunstâncias e às inevitabilidades da casa. No fim, na morte, todos os Ulisses voltam, não importa de que exílio.

# Fazer dançar os ursos

Por esses dias li uma citação do Flaubert sobre a insuficiência da linguagem, em que ele diz que a fala humana é como um caldeirão rachado no qual tiramos sons que fazem ursos dançar, quando o que queremos é mover as estrelas. A citação estava em inglês, não garanto a fidelidade ao francês original. O que Flaubert disse da fala vale para a literatura, mesmo esta pequena literatura em poções da crônica, diária ou semanal. Até os menos pretensiosos entre nós têm a secreta ambição de acordar o universo com o seu caldeirão rachado, e devem se resignar a, eventualmente, fazer dançar um urso. Ou, com sorte, dois ou três.

Seria um ofício respeitável, produzir música para ursos sem outras intenções. Os ursos, ao contrário dos cronistas, não têm a menor vontade de afetar as estrelas com a sua existência, ou com os seus ruídos. Preocupam-se com as suas circunstâncias, com o seu alimento e o seu abrigo, e com os outros ursos. Contam com os nossos sons para os entreter e, vez que outra, iluminar, ou irritar, e não querem saber se o nosso, por assim dizer, público-alvo prioritário esteja nas esferas celestiais.

Flaubert se referia à incapacidade de o homem expressar tudo o que sente com um instrumento imperfeito como a linguagem (embora "caldeirão rachado" seja perfeito), mas também poderia estar escrevendo sobre o desencontro entre a intenção e a percepção da linguagem, ou sobre a impossibilidade da comunicação humana resumida na incurável assincronia entre escritor e leitor.

    Pois os ursos dançarem com os sons que fazemos é o resultado, antes de mais nada, de um tremendo mal-entendido. No fundo, o que você está fazendo, lendo esta crônica, é um ato de bisbilhotice. Ela não é para você. Nem é para dançar. Pare imediatamente.

    Não há notícia de um escritor que tenha movido as estrelas com suas palavras. Nem mesmo Flaubert. Alguns tiveram a ilusão de terem mudado a vida dos ursos, e assim de alguma maneira afetado o Universo. Mas foi só um consolo.

# Sinais mortíferos

A primeira referência em grego, portanto provavelmente a primeira na história da literatura ocidental, à prática de escrever está no livro 6 da *Ilíada*, e não é boa. Alguém é encarregado de levar "sinais mortíferos", a inscrição numa lousa, a outro alguém. No tempo da *Ilíada*, as histórias eram transmitidas oralmente, não havia um texto atribuível com certeza a Homero ou sequer certeza de que existia um Homero. Para o público da época, a escrita era algo remoto e misterioso, e as marcas cunhadas em pedra ou argila, como descritas na *Ilíada*, um código esotérico e certamente sinistro. As marcas aprisionavam e imobilizavam as palavras, levavam-nas para outro domínio e lhes davam outro poder, diferente do poder comum, e do sortilégio compartilhado, da palavra dita. Por isso a escrita estreou na literatura caracterizada como mortífera.

Séculos depois de Homero, outro poeta, W. B. Yeats, diria que fazia seus versos de "bocados de ar", e Anthony Burgess, que usou a frase de Yeats — *A Mouthful of Air* — como título num livro seu sobre linguagem, escreveu que a primeira realidade da literatura é essa mesmo, um bocado de ar transformado pelos órgãos vocais, enquanto a escrita e a impressão são suas realidades secundárias. Mas é a palavra escrita que dá permanência à linguagem, mesmo ao preço de roubá-la da sua vulgaridade democrática, e quase toda a nossa experiência literária é feita dessa segunda realidade. Ao contrário dos gregos antigos, só "ouvimos" os poetas dentro da nossa cabeça, e preferimos assim. Lembro-me da decepção que foi ouvir uma gravação do T. S. Eliot declamando seus próprios poemas. Era uma leitura tão diferente da minha, silenciosa, que concluí que ele não entendia o que tinha escrito.

Pode-se dizer que, assim como ninguém tem prazer em ler uma partitura musical sem som, é na partitura — nos sinais escritos — de um poema, ao contrário da sua oralização, que está a musicalidade. Por melhor que seja o declamador, ele nunca se igualará ao leitor ideal de um texto favorito, você mesmo para você mesmo. Com o tempo, os sinais mortíferos perderam seu estigma e se transformaram na única maneira de compartilhar do sortilégio, inclusive do Homero.

# Professor Pelé

James Joyce dizia que o leitor ideal é o leitor com insônia. O que sugere um paradoxo: não adianta ler a noite toda e ficar inteligente, se no dia seguinte você parecerá um zonzo por falta de sono.

A regra deveria valer para os leitores ideais dos livros de Joyce. Eu consegui ler todo o *Ulysses* (só não me peça para contar), mas decidi que tinha que escolher entre ler *Finnegans Wake* e viver.

O fato é que já tive muita insônia, e mais tempo do que tenho agora, e por isso li bastante. Hoje me transformei num leitor de trechos, ou de notícias e artigos, que, pensando bem, também são trechos desta grande obra que ninguém sabe como vai terminar, que é a atualidade.

Quando me perguntam sobre literatura brasileira e internacional, novos autores, *et coetera*, e não quero dizer que não leio mais como lia e por isso sou um abjeto desinformado, digo apenas que tenho dormido melhor, ultimamente. O que talvez explique esta cara de quem lê muito, e as perguntas.

A falta de insônia e de tempo desanima o leitor diante de textos maiores ou mais exigentes, mas também condiciona quem escreve: sabemos como um advérbio de modo ou uma firula desnecessária podem atrasar a vida, e procuramos o texto enxuto, a frase três-em-um (a que diz no mínimo três coisas com um verbo só) e a concisão.

Sempre achei que o melhor professor de português do Brasil foi o Pelé. Quem o viu jogar ou hoje vê os seus teipes sabe que o Pelé jamais fez uma jogada que não fosse parte de uma progressão para o gol. O sentido de tudo que o Pelé escrevia com a bola no campo era o gol. O drible espetacular era apenas circunstancialmente, com perdão do longo advérbio, espetacular, porque ele existia em função do objetivo final.

A lição para escritores é: defina o seu gol e tente chegar lá como o Pelé chegaria, com poucos mas definitivos toques, sem nunca deixar que os meios o desviem do fim. E se, no caminho para o gol, você fizer alguma coisa espetacular, esforce-se para dar a impressão de que foi apenas por obrigação.

# A hora

O escritor inglês Aldous Huxley tinha uma teoria curiosa, a de que a maturidade de certos artistas não depende da sua idade cronológica, mas de uma espécie de precocidade misteriosamente programada para coincidir com uma vida curta. Ninguém pode dizer o que Mozart faria se tivesse vivido mais do que os trinta e poucos anos que viveu, mas ele dificilmente ficaria mais "maduro" do que já era. Os últimos quartetos de corda de Beethoven, considerados a sua obra mais perfeita, foram compostos pouco antes da sua morte aos 57 anos. Já Verdi morreu com mais de 80 anos, não muito depois de escrever o que dizem ser a sua ópera definitiva, *Falstaff*, e Goya teve que esperar a velhice e toda a sua amargura para produzir suas melhores gravuras e as fantásticas "pinturas negras" que nunca mostrou ao público, mas são o seu grande legado à história da arte e da consciência humana.

A teoria de Huxley, improvável mas literariamente atraente, pressupõe um certo poder profético do artista. Shakespeare escreveu *A tempestade* com 47 anos, sem saber que seria sua última peça (ele morreu com 52), mas ela tem o tom adequado de um testamento e de uma despedida, com o mago Próspero, senhor de todos os dramas e tramas vistos sobre o palco, declarando seu sortilégio acabado e anunciando sua aposentadoria em Milão, onde cada terceiro pensamento será sobre a sua sepultura. O final da peça é tão adequado que se suspeita que tenha sido acrescentado depois da morte do autor, mas pode-se imaginar Shakespeare, de volta a Stratford-on-Avon e acossado por maus pressentimentos, dando o mote para todos os artistas ainda por vir: quando pensamentos sobre a sepultura começam a se tornar muito freqüentes, apresse-se e providencie seu legado definitivo. Está chegando a hora, não importa a sua idade.

O poeta W. H. Auden, comentando a especulação de Huxley, levou-a ainda mais longe. Disse que os artistas morrem quando querem, ou quando devem, e que não existem obras de arte incompletas. *Un po troppo*, como se vê.

# A gula

**W. H. Auden escreveu (mais ou menos):** "O pecado da Gula está classificado entre os Sete Mortais, mas numa história policial pode-se ter certeza de que o *gourmet* não é o culpado." Por quê? O poeta não explica. Os poetas nunca explicam, a não-explicação é o poema. Talvez quisesse dizer que no gosto por comer bem pressupõe-se uma certa delicadeza de espírito, ou que para o *gourmet* nenhum crime compensa uma refeição ou uma digestão interrompidas.

Os vilões vorazes da história e da ficção — Henrique VIII, que destrinchava frangos fritos com o mesmo entusiasmo com que mandava decapitar suas mulheres, a sucessão de bichos-papões que aterrorizam a humanidade — não são *gourmets*. Você não tinha dúvidas de que o monstro embaixo da sua cama queria comer o seu pé, mas você não o imaginava saboreando o seu pé, fazendo "mmm" a cada cartilagem. Ele queria o seu pé só por maldade.

Mas alguns assassinos da literatura policial foram notórios gastrônomos. Na verdade, com exceção do Nero Wolf de Rex Stout, até aparecer o James Bond, uma das distinções entre mocinhos e bandidos era que os bandidos comiam melhor, e havia até uma sutil relação entre sofisticação à mesa e requinte no crime: você podia confiar num *gourmet* para ser um calhorda completo. Nestes casos, delicadeza de espírito significava matar com o dedo mindinho metaforicamente levantado.

Auden talvez excluísse os *gourmets* do elenco de suspeitos em qualquer história policial porque, sendo gulosos, eles já teriam escolhido o pecado mais abrangente e exigente, o pecado que torna todos os outros supérfluos. Um *gourmet* não cometeria nenhum crime por absoluto desinteresse em pecados adicionais, pois a gula é um pecado que se sacia no ato. A luxúria é uma condição de insaciedade permanente, leva ao alívio passageiro, mas nunca à plenitude. A preguiça não chega a nenhum estado de saciedade porque nem sai do lugar. Todos os outros pecados (ira, inveja etc.) dependem do seu objeto, o próximo, para existirem. Só a gula se basta. O *gourmet* do Auden tem o álibi perfeito, porque é o único que não precisa ser criminoso. Será isso?

Enfim, um pouco de poesia entre as refeições.

# Os anônimos

**Todas as histórias são iguais,** o que varia é a maneira de ouvi-las. No grupo comentava-se a semelhança entre os mitos e os contos de fada. Na história de Branca de Neve, por exemplo, a rainha má consulta o seu espelho e pergunta se existe no reino uma beleza maior do que a sua. Os espelhos de castelo, nos contos de fada, são um pouco como certa imprensa brasileira, muitas vezes dividida entre as necessidades de bajular o poder e de refletir a realidade. O espelho tentou mudar de assunto, elogiou o penteado da rainha, o seu vestido, a sua política econômica, mas finalmente respondeu: "Existe." Uma menina de pele tão branca, de cabelo tão loiro e de rosto tão lindo que era espantoso que ainda não tivesse sido procurada pela agência Ford, apesar dos seus 12 anos incompletos. Seu nome: Branca de Neve.

A rainha má mandou chamar um lenhador e instruiu-o a levar Branca de Neve para a floresta, matá-la, desfazer-se do corpo e voltar para ganhar sua recompensa. Mas o lenhador poupou Branca de Neve. Toda a história depende da compaixão de um lenhador sobre o qual não se sabe nada. Seu nome e sua biografia não constam em nenhuma versão do conto. A rainha má é a rainha má, claramente um arquétipo freudiano, a mãe de Electra mobilizada para eliminar a filha rival que seduzirá o pai, e os arquétipos não precisam de nome. O Príncipe Encantado que aparecerá no fim da história também não precisa. É um símbolo reincidente, talvez nem a Branca de Neve se dê ao trabalho de descobrir seu nome e, na velhice, apenas o chame de "Pri", ou, ironicamente, "Seu Encantado". Dos sete anões se sabe tudo: nome, personalidade, hábitos, fobias, CIC, tudo. Mas o personagem principal da história, sem o qual a história não existiria e os outros personagens não se tornariam famosos, não é símbolo de nada. Salvo, talvez, da importância do fortuito em qualquer história, mesmo as mais preordenadas. Ele só entra na trama para fazer uma escolha, mas toda a narrativa fica em suspenso até que ele faça a escolha certa, pois se fizer a errada não tem história. O lenhador compadecido representa os dois segundos de livre-arbítrio que podem desregular o mundo dos deuses e heróis. Por isso é desprezado como qualquer intruso e nem aparece nos créditos.

Laio ouve do seu oráculo que seu filho recém-nascido um dia o matará, e manda chamar um pastor. É o lenhador, numa caracterização anterior. O pastor é incumbido de levar o pequeno Édipo para as montanhas e eliminá-lo. Mais uma vez um universo inteiro fica parado enquanto um coadjuvante decide o que fazer. Se o pastor matar Édipo, não existirão o mito, o complexo e provavelmente a civilização como nós a conhecemos. Mas o pastor poupa Édipo, que matará Laio por acaso e casará com Jocasta, sua viúva, sem saber que é sua mãe, tornando-se pai do filho dela e seu próprio enteado e dando início a cinco mil anos de culpa. O pastor podia se chamar Ademir. Nunca ficamos sabendo.

Todos no grupo concordaram que as histórias reincidentes mostram como são os figurantes anônimos que fazem a história, ou como, no fim, é a boa consciência que move o mundo. Mas uma discordou, e disse que tudo aquilo só provava o que ela sempre dizia: que o maior problema da humanidade, em todos os tempos, era a dificuldade em conseguir empregados de confiança, que fizessem o que lhes era pedido.

# Borgianas

Eu estava jogando xadrez com o Jorge Luis Borges, no escuro, para não lhe dar nenhuma vantagem, quando ouvimos um tropel vindo da rua.

— Escuta — disse Borges. — Zebras!
— Por que zebras? — perguntei. — Devem ser cavalos.

Ele suspirou, como quem desiste. Em seguida me contou que há muitos anos pensava em escrever uma história assim:

— De repente, na Europa, começam a desaparecer pessoas. Pessoas humildes, gente do campo, soldados rasos. E desaparecem depois de acidentes estranhos. São atropeladas por cavalos, ou por bispos, ou por outras pessoas humildes, ou o mais estranho de tudo, por torres. Estão caminhando na rua, trabalhando, nas suas casas, e de repente vem um cavalo e as atropela, ou vem um bispo e as derruba, ou vem uma torre, não se sabe de onde, e as soterra. E as pessoas desaparecem do mundo.

Neste instante ouvimos o estouro de um motor vindo da rua.

— Escuta — disse eu, tentando me recuperar. — O Hispano Suiza de uma diva estrábica!

— Deve ser uma Kombi — disse Borges. E continuou. — Outras coisas estranhas acontecem. Uma torre do castelo real da Holanda desloca-se loucamente pelo mapa e choca-se contra uma parede do castelo do rei Juan Carlos, da Espanha. E os bispos! Causa grande comoção o comportamento de alguns bispos europeus, que passam a só andar em diagonal, ameaçadoramente. Ninguém consegue explicar por quê. Nem eles mesmos.

— Cavalos, bispos em diagonal, torres, reis... — disse eu. — Isso está me lembrando alguma coisa.

— Exatamente — disse Borges. — Um jogo de xadrez. Um imenso jogo de xadrez. O tabuleiro é um continente. As peças, vivas, são manipuladas por forças desconhecidas. Quem está jogando? O Bem contra o Mal? Cientistas loucos, senhores de forças irresistíveis que alteram a matéria e o comportamento humano de acordo com a sua loucura? A megalomania natural de todo jogador de xadrez elevada a uma dimensão inimaginável? No fim tudo termina com um grande escândalo.

— Como? — perguntei, descobrindo, pelo tato, que Borges liquidara todos os meus peões.

— Descobrem um bispo na casa da rainha. A Elizabeth da Inglaterra. Um bispo anglicano, mas mesmo assim... Os tablóides fazem um carnaval. Há brigas no Parlamento. O grande jogo de xadrez termina, tão misteriosamente quanto começou. O apocalipse é derrotado pelo senso de propriedade inglês. Sua vez.

\* \* \*

Mais tarde Jorge Luis Borges me contou que no Antigo Egito já se falava num Antigo Egito. Por baixo das areias do Antigo Egito existia outro Egito, e mais outro, no qual se falava em mais três. Mas no nosso Antigo Egito, no Antigo Egito mais recente, disse Borges, acreditava-se numa vida depois desta e Borges indicou o tabuleiro com as duas mãos. Acreditava-se em ainda outro Egito acima do Antigo Egito. Um Futuro Egito. Para onde iam os mortos, de navio. Os egípcios acreditavam também que, quando o nome ou a imagem de um morto eram apagados na Terra, o espírito do morto se apagava no Além. Os profanadores e os iconoclastas tinham a oportunidade de matar o morto pela segunda vez. O rei Akhnaton, por exemplo, apagara todas as referências a seu pai, o rei Amenhotep, das paredes e dos escritos do reino, apagando-o na Eternidade. Perguntei então a Borges o que pensava da teoria segundo a qual Akhnaton, o da Tebas das Mil Portas, no Egito, fora o modelo histórico de Édipo, o da Tebas das Sete Portas da Grécia, que Freud... Mas Borges ergueu as mãos e me pediu para não introduzir Freud, o dos 500 alçapões, nesta história, que já se complicava demais. E disse que só contava a história para mostrar o poder dos escritores sobre a posteridade e como até os mortos estavam à mercê dos revisores.

\* \* \*

Outra vez eu estava jogando xadrez com Jorge Luis Borges numa sala de espelhos, com peças invisíveis num tabuleiro imaginário, quando um corvo entrou pela janela, pousou numa estante e disse:
— Nunca mais.
— Por favor, chega de citações literárias — disse Borges, interrompendo sua concentração.
Tínhamos eliminado tudo do xadrez, menos a concentração. Protestei que não estava fazendo citações literárias.
— Há horas que estou em silêncio.
— Citando entrelinhas — acusou Borges.

— E mesmo — insisti —, não fui eu que falei. Foi um corvo.

— Um corvo? — disse Borges, empinando a cabeça.

— O corvo de Poe.

— Obviamente, não — disse Borges. — Ele falou em português. É o corvo do tradutor.

Imediatamente Borges começou a contar que traduzira para o espanhol a poesia de Robal de Almendres, o poeta anão da Catalunha. Robal escrevia na areia com uma vara e seus seguidores literários literalmente o seguiam, ao mesmo tempo copiando e apagando os seus versos do chão com os pés. Desta maneira, Robal jamais revisava os seus poemas, pois não podia voltar atrás para ver o que tinha escrito.

— Por que não lia o que seus seguidores tinham copiado?

— Porque não confiava neles. Se houvesse um entre eles com pretensão à originalidade, fatalmente teria alterado a poesia do mestre e não mereceria confiança. Os outros eram meros copiadores, e quem pode confiar em copiadores? Assim Robal se considerava o poeta mais inédito do mundo. Todas as edições das suas obras eram desautorizadas por ele. Quanto mais o editavam, mais inédito ele ficava. Robal quase ganhou um Prêmio Nobel, mas desestimulou a academia em Estocolmo com a ameaça de ir receber o prêmio em Nairóbi. E eu traduzi a sua obra.

— Como você se manteve fiel ao espírito de Robal de Almendres, na tradução?

— Mudando tudo. Fazendo prosa em vez de poesia. Não traduzindo fielmente nem uma palavra.

— E onde está essa obra?

— É toda a minha obra — confidenciou Borges.

O corvo voou.

\* \* \*

Mais tarde, chegamos à questão da importância da experiência para o escritor. Eu sustentava que a experiência é importante para um escritor. Borges mantinha que a experiência só atrapalhava.

— Toda a experiência de vida de que eu necessito está nesta biblioteca — disse Borges, indicando a sala de espelhos com as mãos.

— Mas nós não estamos numa biblioteca, mestre — observei.

— Eu estou sempre numa biblioteca — disse Borges. Continuou: — E, mesmo assim, sei como é enfrentar um tigre.

— Mas você alguma vez enfrentou um tigre?

— Nunca. Nunca sequer vi um tigre na minha vida. Mas sei como os seus olhos faíscam. Sei como é o seu cheiro, e o silêncio macio dos seus pés no chão do jângal. Tenho 117 maneiras de descrever o seu pêlo e posso comparar seu focinho com outras 117 coisas, desde a frente de um Packard até um dos disfarces do Diabo. Sei como é o seu bafo, quente como o de uma fornalha, no meu rosto, quando ele procura minha jugular com os dentes.

— Você se baseia no relato de alguém que enfrentou um tigre e escreveu a respeito?

— Não. Ninguém que enfrentou um tigre jamais deu um bom escritor.

— E o contrário? Um escritor que tenha enfrentado um tigre?

— Houve um — contou Borges. — Aliás, um bom escritor. Um dia ele foi atacado por um tigre dentro da sua biblioteca, que ficava no centro de Amsterdã. Nunca foi possível descobrir como o tigre chegou lá.

— O tigre o matou?

— Não. Ele está vivo até hoje.

— Mas então ele, melhor que ninguém, pode descrever o que é enfrentar um tigre. Porque tem a experiência.

— Não. Você não vê? Para escrever de maneira convincente sobre o tigre ele teria que voltar à sua biblioteca. Consultar os seus volumes. Os zoólogos e os caçadores. Os simbolistas. As enciclopédias. Tudo que já foi escrito sobre o tigre. As comparações do seu focinho com a frente de um Packard ou com um dos disfarces do Diabo. E isso ele não pode fazer.

— Por que não?

— Porque tem um tigre na sua biblioteca!

# No céu

Jorge Luis Borges, Ítalo Calvino e Vladimir Nabokov estão no céu para prestigiá-lo, já que o céu, a idéia de um lugar para onde se vai depois da morte, foi certamente o primeiro produto da imaginação do homem, seu primeiro esforço literário. O próprio Calvino, apesar de descrente, se sentiu obrigado a ir para o céu e concorda com os outros que todos os escritores mortos estão lá por direito adquirido, pelo exercício da literatura, inclusive o Marquês de Sade, embora este ocupe um espaço cercado e tenha as asas curtas como as de uma galinha. Nas intermináveis conversas que Borges, Calvino e Nabokov têm durante o chá — a única bebida para passar a eternidade, segundo Borges, embora Calvino argumente que algo mais forte faria a eternidade passar mais depressa —, os três discutem, por exemplo, maneiras de coibir vocações literárias equivocadas, e concluíram que uma solução seria dar a certos críticos o poder de não apenas julgar como condenar autores novos, inclusive à morte, com os próprios críticos sendo encarregados da execução, o que também os ajudaria a aguçar seus critérios. Borges, Calvino e Nabokov também trocam reminiscências literárias, e no outro dia discutiam qual seria o trecho mais erótico de toda a literatura universal. Borges comentou que a frase mais sensual que jamais lera era de uma poesia curda. Calvino e Nabokov sorriram um para o outro sem que Borges os visse. Era típico de Borges, escolher logo uma poesia curda.

— Vamos lá, como é a frase? — disse Nabokov.

— *Kodem tzamas dosmas dur badram...* — recitou Borges.

Os outros dois ficaram esperando que ele traduzisse a frase, mas Borges revelou que não tinha a menor idéia do seu significado, apenas tivera uma ereção ao lê-la.

# Coquetel de gênios

!

O apelido não era nenhuma alusão poética ao fato de ele ser um espírito livre que cantava pelo saxofone. Vinha de *yard-bird*, pássaro de jardim, gíria americana para os habituais freqüentadores de pátios de prisão. Desde a adolescência ele entrou e saiu de prisões e hospitais por causa da droga. Não havia muita poesia no mundo de Charlie Parker. O filme de Clint Eastwood acerta em não tentar ser lírico sobre uma realidade sórdida. O *jazz* tem uma das suas raízes nos blues rurais, mas desde o seu começo foi uma música de cidade, a música do século da técnica e da explosão urbana. Também não dá para tratá-lo como a proverbial flor que nasce no lodo. O *jazz* moderno, principalmente, rejeita qualquer redução à pieguice literária. Os músicos que começaram o *be-bop* queriam mostrar como eram melhores do que os outros e por isso inventaram um estilo que exigia destreza e sofisticação musical acima da média. No processo, inventaram a mais radicalmente nova forma de arte já feita na América, mas cuja novidade e beleza só eram auto-referenciáveis, não podiam ser comparadas a nada nem aproveitadas fora do seu meio. Parte da tragédia de Parker, que era menos intuitivo e mais intelectual do que a maioria dos seus co-revolucionários, era que ele sabia que estava fazendo uma coisa maior e ao mesmo tempo que ela não significava nada e não tinha futuro fora do mundo fechado dos clubes e concertos de *jazz*, onde o seu único valor era o comercial, e passageiro. Parker poderia ter emigrado para a Europa, onde seria endeusado e provavelmente teria todas as drogas que quisesse sem problemas, mas — o filme sugere isso — escolheu ficar e ser destruído. Mas esta também pode ser uma presunção poética. Talvez ele apenas soubesse que não podia cantar longe da sua gaiola, que a sordidez era o que alimentava o seu gênio e que o que o destruía era o que o desafiava. Mas isto também é literatura.

    Flaubert dizia que o artista deveria levar uma vida de burguês e só enlouquecer na sua arte, ou mais ou menos isto. William Blake dizia que só o excesso levava ao discernimento, ou mais ou menos isto. O problema com o artista flaubertiano é que ele não é um bom assunto. O problema com o blakiano é que ele dá boas histórias, mas se destrói no processo. Existe um antigo fascínio com o artista autodestrutivo. O criador dionisíaco, o poeta maldito, parece responder a uma secreta necessidade nossa de identificar espírito com danação. É um clichê que já matou muita gente. Mas que dá boas histórias, dá. Segundo Clint Eastwood, Charlie "Bird" Parker era um flaubertiano tentando fugir de dentro de um blakiano condenado a morrer cedo. O filme foi feito com a colaboração da viúva de Parker, Chan, o que o torna suspeito. Chan, ao que se sabe, era fogo. No filme só parece excêntrica. Parker era um notório excessivo, em tudo. Deve ter corneado a mulher muito mais do que aparece no filme. Se também tinha os sonhos de domesticidade e paz rural que o filme sugere, não sei. É provável que quisesse se livrar da dependência da droga que o arruinou em todos os sentidos. Mas ele era um prisioneiro do clichê. No tempo em que as drogas — heroína era o que mais rolava — eram identificadas quase que exclusivamente com o mundo do *jazz*, Parker era o herói de muita gente, tanto pela sua música quanto pelo seu estilo de vida. As drogas eram parte da diferença entre a minoria que curtia a nova música e a maioria quadrada. O filme tenta fazer da sua tragédia uma história admonitória contra as drogas. O que é louvável, mas passa longe da questão. A questão era que tudo — as drogas e as outras compulsões, o meio, a época, o caráter esquizofrênico de uma coisa "doida", que era ao mesmo tempo arte de vanguarda, entretenimento e música de fundo em boate — fazia parte da mesma história, ou da mesma danação. Clint Eastwood não filmou isto, filmou a mágoa da viúva. *Bird* é um filme digno. Não sei se é digno do gênio torturado que o inspirou.

O filme é surpreendente. Quem diria, Harry o Sujo. Mas não deixa de ser um filme de Clint Eastwood, quase um *western*, estilizado e enfático. Em vez de realista como foi, por exemplo, o *Lenny*, de Bob Fosse, que era sobre coisas parecidas. Devia ter sido feito em preto-e-branco, como *Lenny*. A cronologia é confusa. Tudo é menos recriado do que representado: Birdland não era como aparece, e Dizzy Gillespie não ganhou o apelido de "Tonto" por ser a figura sensata e paternal do filme. Eu podia até reclamar que o apresentador anão do Birdland, Pee Wee Marquette, não era tão anão, mas aí já seria avançar demais no supérfluo. O importante é que o filme foi realizado, é bom, e está fazendo muita gente se interessar pela música de Charlie Parker. Quem não conhecia o *bop* talvez não entenda qual era a novidade. O filme não tem nenhuma preocupação em ser didático e até fala pouco na música. Até começar o *bop*, no início da década de 1940, improvisar, o *jazz*, era parafrasear. Com outras palavras você dizia a mesma coisa. O *bop* (gente como o guitarrista Charlie Christian, que morreu antes do movimento pegar, Thelonious Monk, Bud Powell, Tad Dameron, Dizzy, Kenny Clarke, Fats Navarro) começou a remanejar as palavras para dizer outra coisa. Quase todas as composições do *bop* são baseadas em músicas populares conhecidas, mas transformadas pelo rearranjo das suas "palavras" — intervalos, extensão e acentuação da frase musical etc. — em coisas muito mais dramáticas e complexas, embora a progressão harmônica continuasse a mesma. O comum era fazerem novos temas de músicas rápidas, mas preservarem músicas lentas ("Embraceable you", "Lover Man") e só as transformarem no improviso. E, claro, criavam muitos temas em cima dos *blues*. Ninguém improvisava como o Charlie Parker. Nele, a conexão entre raciocínio e execução, por mais frenético que fosse o ritmo, era direta, e o raciocínio era impecável. Louis Armstrong foi o rei da paráfrase. Parker foi o maior improvisador do *jazz* até hoje.

Para mim, o melhor *jazz* foi feito do começo do *be bop* até o Miles Davis começar a usar sandálias. Dá uns vinte e tantos anos. E o melhor dessa época foi Charlie Parker. *Be pop* vem de uma vocalização onomatopaica de uma frase típica do estilo, com seus acentos em *staccato*. *Be-bop, bere-bop* (ou, no samba, "eba, biriba"). Parker definiu o estilo. Um solo seu é ao mesmo tempo uma aventura intelectual e uma experiência emocional. Ele jogava com o comprimento das frases e a distribuição das pausas para criar e aliviar tensão e mesmo quando respeitava a melodia, como na série de gravações que fez com cordas e que só valem por ele, suas ornamentações, como anotações nas margens da melodia, batem todo o resto. Sua obra-prima é "Parker's Mood", o *blues* que no filme só toca inteiro atrás dos créditos, no fim, e que começa com uma frase solta, uma espécie de anunciação, que equivale em efeito dramático àquela do Bach numa tocata e fuga para órgão.

Vi Charlie Parker tocar uma vez. Ele e o Dizzy Gillespie, no Birdland. Eu não tinha idade para estar lá dentro, mas passava pelo porteiro e sentava numa espécie de auditório lateral onde não era preciso pedir bebida. Lembro da figura dele, gordo e impassível em contraste com o movimentado Dizzy, mas eu literalmente não sabia o que estava vendo. Gostava do *jazz* mais antigo, o moderno na época só me intrigava. "Descobri" Parker pouco antes de ele morrer. Parker morto virou culto. "Bird vive" escrito nas paredes, aquelas coisas. Mas é improvável que meio por cento da população americana tivesse conhecimento da sua morte. Ou da sua vida.

# Miles Ahead

O peso-leve Miles Davis gostava de boxe, mas não havia atividade menos indicada para um pistonista, com sua constante ameaça a mãos e lábios. Miles tinha que se contentar em boxear contra ninguém, em só fazer os gestos. Em inglês isto se chama *shadow boxing*. Miles passou a vida boxeando com a própria sombra.

Foi companheiro de Charlie Parker em alguns dos discos históricos do recém-fundado *be-bop*. Nesta revolução ele entrou depois. Mas a próxima ele liderou. O *cool jazz* começou com a gravação histórica que ele e um noneto inventado por Gil Evans fizeram em 1949. O som de Miles no pistom, sem vibrato, e sua distribuição de espaços numa frase, eram a definição do *cool*. Mas Miles abandonou a revolução logo depois de fazê-la. Enquanto outros encampavam o *cool* e seguiam para a Califórnia e a fortuna, Miles dava um *jab* na sua sombra e ficava com o *hard bop*, a antítese do *cool*. Sem trocar de som.

Depois veio a série de gravações (históricas) do seu quinteto com John Coltrane. E quando todos pensavam que Miles estava no *hard bop* para ficar, uma finta e um direto na expectativa de todo mundo: a gravação de *Miles Ahead* com uma grande orquestra, os arranjos luxuriantes de Gil Evans e outro Miles Davis, milhas na frente do anterior. Depois de *Miles Ahead* e de outros álbuns que fez com Gil Evans, Miles parecia ter decidido ser o duende solitário nas grandes florestas sonoras de Evans, para sempre, mas ninguém contava com seu jogo de pernas. Entrou num estúdio com um pequeno grupo de músicos preferidos e apenas alguns esboços tonais para guiá-los nas improvisações e gravou o histórico *Kind of Blue*. Outra revolução.

Era preciso sempre estar na frente dele mesmo e do que os outros esperavam dele. Podia ter sido um tocador de baladas para jovens amantes, um Chet Baker com glóbulos vermelhos, mas embora nunca abandonasse seu tom melancólico sempre preferiu ser o centro quieto de um grupo de barulhentos geniais, como Coltrane e os bateristas bombardeadores com que gostava de trabalhar. Podia ter sucumbido à imagem de Príncipe das Trevas e explorado o seu charme esguio de réptil noturno, mas seu mistério era genuíno, feito com partes iguais de misantropia e reserva. Manteve-se à frente da sua sombra.

Um homem tem direito a fazer quantas revoluções por vida? Há quem diga que a última revolução de Miles Davis acabou em farsa, que o quase careca de túnica colorida fazendo fusão com a rapaziada não era nem uma sombra, era a múmia do antigo Miles reduzido a espasmos de som. Mas também há quem diga que o Miles da última fase era de uma coerência fulgurante, o velho boxeador na ponta dos pés e ainda fazendo história. Até que veio a morte e não deu para ele se esquivar.

# Bretton Woodstock

Bretton Woods e Woodstock têm mais coisas em comum do que a vizinhança da Nova Inglaterra. São dois lugares cuja importância histórica é proporcional à sua insignificância geográfica, são dois símbolos de boas intenções perdidas e são dois mundos que podem se cruzar de novo. Em Bretton Woods reuniu-se, em 1944, a Conferência Monetária e Financeira das Nações Unidas para combinar como seriam as relações comerciais depois da guerra que chegava ao fim. Em Woodstock, 25 anos depois, um ano depois do maio de 1968 em Paris, reuniram-se as tribos da contracultura, como se chamava então, para celebrar a aproximação de outro tipo de pós-guerra, em que a paz, o amor e a fraternidade — sem falar no sexo, nas drogas e no rock'n'roll — venceriam o egoísmo capitalista e a tirania da moral burguesa.

Os ideais de Bretton Woods não eram menos revolucionários do que os de Woodstock, pelo menos da boca para fora. Seu objetivo declarado era acabar com a competição monetária e os conflitos e barreiras comerciais que tinham levado às duas guerras mundiais. No seu discurso no encerramento da conferência, lorde John Maynard Keynes, um dos inspiradores e principais participantes do encontro, liderando o time inglês, disse que se a cooperação que as nações tinham mostrado em Bretton Woods continuasse, "o pesadelo em que a maioria de nós passou tempo demais das suas vidas terá acabado", e "a irmandade dos homens terá se transformado em mais do que apenas uma frase". Não houve música, drogas ou, que se saiba, sexo em Bretton Woods, mas o espírito de congraçamento inédito era o mesmo de Woodstock.

O espírito de Woodstock não durou muito. Depois vieram os aborrecidos anos 70, quando todo o mundo teve que ir ser egoísta e ganhar a vida. E á contracultura deparou-se com um dilema antigo: um ataque ao poder cultural — a "hegemonia" de Gramsci — não significa necessariamente uma ameaça ao poder real e muitas vezes a substitui. A cultura dominante absorve a contestação e desvia os golpes do sistema político dominante, que sobrevive, apenas com cabelos mais longos e roupas mais coloridas.

Em Bretton Woods, onde foram criados o Banco Mundial e o Fundo Monetário Internacional, as boas intenções esconderam as questões reais do encontro: a que Roosevelt já tinha proposto a Churchill quando condicionou a entrada dos Estados Unidos na guerra ao fim dos mercados cativos coloniais e do império econômico britânico, e a necessidade de garantir mercados livres para a produção americana, que se multiplicara com a mobilização de guerra. Enquanto Keynes acreditava que o Banco Mundial — insistência sua — realmente favoreceria a irmandade entre os homens, o secretário do Tesouro americano Henry Morgenthau, mais interessado no FMI, empenhava-se na transferência do centro financeiro do mundo de Londres para Washington e Wall Street. No caso de Bretton Woods, o que perdurou não foi o espírito público de Keynes, mas o espírito prático dos americanos.

Keynes tinha ilusões a respeito do significado de Bretton Woods. Morgenthau estava lá para sacramentar a transferência do poder econômico da Inglaterra para os Estados Unidos, a única nação que sairia da guerra em condições de impor sua vontade. E impôs. No seu discurso final Keynes previu que a cooperação entre as nações traria uma era de inédita prosperidade universal, e foi muito aplaudido, mas o resultado prático de Bretton Woods foi que o comando da economia mundial atravessou o Atlântico, e os americanos ganharam acesso aos mercados antes cativos do desdentado império britânico. E a prosperidade universal que veio se concentrou principalmente nos Estados Unidos.

As ilusões de Woodstock também não duraram muito. Pouco depois de Woodstock houve o festival de Altamond, na Califórnia, onde os seguranças mataram um jovem a pauladas durante um concerto dos Rolling Stones e o movimento perdeu sua inocência. A guerra contra a guerra do Vietnã também ficou feia, radicalizaram a repressão à contracultura e, com o tempo, veio uma tragédia ainda pior: a geração de Woodstock envelheceu, e todos os seus filhos preferiram ser analistas de sistemas.

Keynes morreu pouco depois de Bretton Woods. Hoje ninguém se lembra que ele foi um dos fundadores do que está aí, mandando em nossas vidas, embora pensasse em outra coisa. A derrota da sua visão do que poderia ter sido, pela imposição americana, tem uma ponta de ingratidão: afinal, foi ele o teórico do dirigismo econômico de Roosevelt que salvou o capitalismo americano de si mesmo nos anos 30. Mas não deve haver retratos dele na sala de nenhum dos monetaristas do Banco Mundial ou do FMI.

Algum legado ficou de Woodstock e um pouco do velho espírito talvez esteja de volta, nas várias tribos sublevadas que cercam as reuniões dos ricos depois de Seattle.

O mundo que nasceu em Bretton Woods e o que se desenhou em Woodstock, a poucos quilômetros de distância, talvez estejam se encaminhando para uma revanche. De um jeito ou de outro, somos todos filhos da Nova Inglaterra.

# Porter e Gershwin

Cole Porter poderia dizer de George Gershwin o que Gore Vidal disse de Norman Mailer. Para Vidal, Mailer era um privilegiado. Tinha nascido pobre e judeu, estava feito na vida. Já Vidal, rico, aristocrático e cristão, precisara vencer todas estas adversidades para se tornar um escritor.

Gershwin, nascido no Brooklyn, lutava para sobreviver no comércio de música de Nova York, o Tin Pan Alley, enquanto Porter fazia canções satíricas para os shows de seus colegas bem-nascidos em Yale ou Harvard, as escolas preparatórias para o poder do *establishment* no Leste americano. Por isso sempre se disse que Porter era mais brilhante, mas Gershwin era mais importante. Mas estas comparações perdem um pouco no detalhe. Mailer, por exemplo, também estudou em Harvard, embora diga que estava tão bêbado que não se lembra. E Gershwin, apesar da sua origem mais "humilde", teve mais formação musical do que Porter e foi musicalmente bem mais ambicioso, incursionando pela ópera e a sinfonia enquanto Porter nunca foi além da canção popular.

O cinema difundiu as músicas de Porter e Gershwin, feitas para o teatro, pelo mundo. Mas o cinema também lhes pregou algumas peças. Nada mais falso do que a versão hollywoodiana do processo de criação musical. Um dos exemplos inesquecíveis disso é a própria biografia cinematográfica de Cole Porter — Cary Grant era um improvável Porter —, quando ele, vítima de um bloqueio que o impedia de compor e de uma arrasadora crise amorosa, ouve, em seqüência, tambores distantes, o tiquetaque do relógio na parede e o ruído da chuva na vidraça, e começa a tirar no piano a introdução de "Night and Day": "Like the beat, beat, beat of the tom-tom, when the jungle shadows fall; like the tick, tick, tock of the stately clock..." Pior do que isso só a cena da biografia de Strauss em que o compositor ouve, num bosque de Viena, as patas dos cavalos e o canto dos passarinhos lhe ditarem a primeira estrofe de uma valsa. Não fazem mais cinema como antigamente, felizmente.

Cole Porter também poderia dizer de George Gershwin que ele teve a vantagem injusta de morrer antes. Gershwin morreu em 1937, Porter em 1984, quando a fofoca já era tão valorizada quanto o talento. Porter conseguiu viver livre de inconfidências públicas até a sua velhice, mas ainda viveu o bastante para se ver retratado como homossexual e toxicômano por Truman Capote no seu *Answered Prayers*, provavelmente o mais famoso livro nunca terminado de todos os tempos. Não se sabe o que teria acontecido com a reputação de Gershwin se vivesse tanto quanto Porter.

# Choque de culturas

O livro *Memórias perdidas* de Chet Baker vale pelo pouco que revela da intimidade do trompetista e pela ótima tradução do Luiz Orlando Carneiro, um dos nossos melhores jazzófilos. Mas Chet fala mais das suas drogas do que da sua música, e quase não fala de outros músicos. Faz uma pequena exceção para o saxofonista Gerry Mulligan, com quem gravou seus primeiros discos — os do famoso quarteto sem piano — e chegou à fama instantânea. Conta que Gerry, como ele, também tinha problemas com drogas e mulheres. Quando conheci o Gerry Mulligan, em Porto Alegre, essa fase da sua vida já ficara muito, muito para trás. Ao contrário de Chet, Gerry tinha vencido sua luta contra a dependência, era um respeitável senhor de barbas brancas. E a longa sucessão de mulheres na sua vida — que incluíra a atriz Judy Holliday — tinha acabado numa bela italiana chamada Franca, que Gerry conhecera durante a gravação do seu disco com o Piazzolla, na Itália, e aposto que ficou com ele até o fim. Era evidente que a Franca tinha tudo dominado.

Depois da sua apresentação fomos jantar com Mulligan, mulher e trio, a convite do adido cultural americano. O melhor restaurante de Porto Alegre, na época, era o Floresta Negra, cujo dono e *maître*, "seu" Fridolino, era uma figura controvertida: muitos confundiam com rudeza o que era apenas bom humor alemão, já que as duas coisas nem sempre se distinguem. Estávamos acostumados com seu jeito, e com o fato de que, em noites de muito movimento, a dona Frida e sua equipe, na cozinha, não davam conta, e a comida demorava. Mas a Franca não queria saber do folclore do lugar, queria alimentar o seu homem. E deu-se o choque de culturas.

"Seu" Fridolino já expulsara gente do restaurante por menos do que ouviu da italiana, naquela noite. Por um momento a mesa ficou suspensa, à beira de um incidente internacional. O adido cultural e eu, representando nações neutras, ficamos calados. Mulligan nem tomara conhecimento do confronto, aquela era a área de ação da mulher. Manteve a sua pose de patriarca *viking*. "Seu" Fridolino talvez tenha se dado conta de que enfrentava uma leoa, e a possibilidade de grandes estragos materiais no seu restaurante. Recuou. Ninguém foi expulso. Dali a pouco veio a comida. Estava ótima. Acho que a Franca até elogiou. As forças do Eixo estavam recompostas.

Durante o jantar, não adiantou eu querer perguntar ao Mulligan sobre Zoot Sims e outros que tinham tocado com ele, inclusive o Chet Baker. Ele só queria falar no García Márquez.

# "Que reste t'il..."

Fomos ouvir o saxofonista Archie Shepp no New Morning de Paris. Eu não tinha bem certeza do que ia encontrar. Sabia que Shepp vivia na França mas não tinha acompanhado sua carreira depois dos anos 60, quando ele e gente como os saxofonistas Ornette Coleman e Albert Ayres e o pianista Cecil Taylor radicalizaram o que John Coltrane começara com suas torrentes de som, e criaram o movimento Free Jazz. Shepp era o mais radical deles todos, o mais político, e quem fez a ligação mais direta entre a agressividade do novo *jazz* e o novo ativismo negro da época. Suas declarações eram tão incandescentes quanto os seus solos. Teve não poucos problemas com a polícia e se auto-exilou na Europa. Eu estava curioso para ver como ele envelhecera. No New Morning, tocou com um trio e dois músicos franceses convidados. Continua um ótimo tenorista, mas toca como se nem Coltrane nem ele, com 40 anos menos, tivessem existido. E a certa altura da apresentação pegou o microfone e cantou "Que reste t'il de nos amours".

Se eu precisasse escolher a pessoa que eu menos esperava ver, um dia, cantando "Que reste t'il de nos amours", seria Archie Shepp. O general Geisel, talvez. O Archie Shepp nunca. E no entanto lá estava ele, com seu francês de Nova York, perguntando o que restava dos nossos belos dias, sem alterar um acorde da canção para efeito de ironia ou suinguificação. Não duvido que ainda sobre muito dos velhos amores de Archie Shepp pela música contestatória e pela justiça para a sua raça (no seu repertório atual tem muita coisa africana), mas também é bom saber que, entre as coisas que 40 anos fazem com um velho revolucionário, está essa depuração de preconceitos: por que não "Que reste t'il de nos amours"? Depois de todas as causas e de todas as vanguardas as boas canções ainda estão lá, esperando para serem redescobertas. Ou talvez só se passe pelas causas e pelas vanguardas para poder cantar, um dia, "Que reste t'il de nos amours", sem precisar dar satisfações a ninguém.

# George e os outros

**John era o cerebral, Paul era o certinho,** Ringo era o engraçado, George era o místico. Você imaginaria que quatro moços do mesmo lugar, com a mesma origem social e, afinal, com gostos musicais tão parecidos que tinham se juntado numa banda, não poderiam ser muito diferentes. Mas o sucesso dos Beatles talvez se devesse a essa diferença. A banda representava uma coisa — um arquétipo, os anseios e as necessidades de uma época —, e cada um dos seus membros representava outra. E cada um foi ser a sua outra coisa. John o guru vanguardeiro e, no fim, trágico, Paul o aristocrata semicareta, Ringo a personalidade internacional e George o que mesmo? Confesso que não acompanhei o envelhecimento dos Beatles com muita atenção, principalmente depois que o John parou de envelhecer. As pessoas e as coisas que têm um significado muito forte em certas fases de nossas vidas só existem depois para lembrar como tudo passa. Sobrevivem como grotescos: são a coisa e a sua lembrança, a pessoa e o seu fantasma, ao mesmo tempo. George, pelo pouco que sei, continuou o mais sério e introvertido dos Beatles, inclusive na sua música. Também parou de envelhecer. No fim sobraram os Beatles mais superficiais, as duas partes dos Beatles que significavam menos. O que também deve significar alguma coisa.

# Aquela noite

O concerto da banda do clarinetista Benny Goodman e convidados no Carnegie Hall de Nova York, na noite de 16 de janeiro de 1938, foi histórico. Não porque era a primeira vez que se ouvia *jazz* no famoso auditório. Em 1921 já tinha havido um concerto de *jazz* na augusta casa inaugurada em 1891. A apresentação de Goodman foi a primeira vez em que músicos de *jazz* brancos e negros tocaram juntos para um grande público nos Estados Unidos. A banda do Count Basie também participou do evento, e as duas bandas se uniram para uma *jam session*. Em alguns números Goodman tocou só com o pianista negro Teddy Wilson e o baterista branco Gene Krupa. E em outros, juntou-se ao trio o vibrafonista Lionel Hampton, que morreu em 2002, com 95 anos. O último remanescente, de qualquer raça, daquela noite.

Só dez anos e pouco depois do concerto descobriram que ele tinha sido gravado, e a Columbia lançou dois elepês de grande sucesso com o registro do acontecimento, que a esta altura se tornara legendário. Mas em 1950, quando saíram os discos, negros e brancos se apresentando juntos continuava sendo uma raridade e, nos estados do Sul, mesmo músicos negros que já tivessem tocado no Carnegie Hall eram obrigados a se submeterem ao *apartheid* oficial, que ainda duraria mais dez anos. O sucesso nos anos 30 e 40 de bandas como a de Goodman, os irmãos Dorsey, Artie Shaw, Glenn Miller etc. era visto como uma usurpação pelos negros, e artistas como Louis Armstrong, Duke Ellington, Lena Horne e poucos outros — inclusive o próprio Hampton — só rompiam a barreira racial para o reconhecimento porque eram "personalidades" que em muitos casos reforçavam os estereótipos de primitivismo inocente ou exotismo. Foi como reação a isso que surgiu o *be-bop*, *jazz* cuja finalidade declarada era ser tão tecnicamente difícil e intelectualmente arrojado que barraria os músicos brancos, e que continua até hoje (com a colaboração de alguns brancos que venceram o desafio) como único exemplo de uma arte de vanguarda genuinamente americana.

    Lionel Hampton tocando junto com Benny Goodman no Carnegie Hall (o registro existe em CDs) é um documento de interesse quase arqueológico, mas a divisão que tornou o encontro deles histórico persiste, mesmo atenuada. Não se trata de ser racista às avessas, há grandes jazzistas brancos. O músico que eu ouço com mais freqüência e prazer é o saxofonista Zoot Sims, sardento de tão branco. Mas, 65 anos depois, o convite de Goodman para Hampton e os outros ocuparem o palco do Carnegie Hall naquela noite pode ser visto como apenas o primeiro gesto de uma reparação, que ainda está longe de ser paga.

# Torturante band-aid

Mais fácil do que fazer uma lista das melhores músicas brasileiras de todos os tempos é criticar as listas dos outros. Assim você se livra do esforço de memória e só entra para flagrar as injustiças. O grande mérito da votação recente da Globo,* além do inventário valioso do nosso patrimônio musical, foi esse: na cobrança das omissões — mas como, nada do Lupiscínio?! — se descobriu que daria para fazer uma lista igual só de esquecidos. Que a nossa fortuna é maior do que nós mesmos sabemos. Foi como provar uma receita e ficar dizendo o que falta para a perfeição: um pouco mais de Cartola, um tiquinho mais de

---

\* No "Festival 100 de música", apresentado em dezembro de 1999, um júri da emissora elegeu as 31 melhores músicas brasileiras do século XX: "Aquarela do Brasil", "Carinhoso", "Garota de Ipanema", "Asa branca", "Águas de março", "Chega de saudade", "As rosas não falam", "Travessia", "Desafinado", "Eu sei que vou te amar", "Chão de estrelas", "Se todos fossem iguais a você", "Luar do sertão", "Samba do avião", "Brasileirinho", "Retrato em branco e preto", "O que será", "Saudade da Bahia", "Manhã de carnaval", "No rancho fundo", "O bêbado e o equilibrista", "Tico-tico no fubá", "Feitiço da Vila", "Feitiço de oração", "Marina", "A noite do meu bem", "Foi um rio que passou em minha vida", "Aquele abraço", "Sampa", "Detalhes", "Meu bem".

Chico Buarque, outra pitada de Ismael Silva... Pois no fim é tudo uma questão de gosto.

Para o meu gosto, por exemplo, ficou faltando Ataulfo Alves. "Pois é" é um grande samba. Aquele em que se diz que mulher a gente encontra em toda parte, mas não se encontra a mulher que a gente tem no coração. Pois é. Faltou o "Última forma" (do Paulo Cesar Pinheiro?), faltou o "Antonico" (de quem mesmo?). E talvez mais algumas colheres de chá de Edu Lobo, Carlos Lyra, Johnny Alf e (por que não?) Roberto e Erasmo. Todas as do Tom Jobim que entraram na lista mereciam estar lá, mas não entrou a mais bonita. "Inútil paisagem". "Na baixa do sapateiro" é melhor do que "Aquarela do Brasil". E onde estava aquela do Noel Rosa que diz "o meu samba está de luto, eu peço o silêncio de um minuto"? E o Lupiscínio?!

Não dá para ter um concurso só de letras, mesmo porque os cinco primeiros lugares teriam que ser do Chico. Mas se poderia escolher algumas frases, assim, revolucionárias do nosso cancioneiro. Eu acho que alguma coisa aconteceu na poética nacional quando, no "Dois pra cá, dois pra lá", dele e do João Bosco, o Aldir Blanc falou naquela ponta de um torturante band-aid no calcanhar da moça que gostava de uísque com guaraná. O band-aid no calcanhar vale um compêndio de sociologia suburbana e para explicar por que ele é torturante você precisa, em primeiro lugar, ser homem, e em segundo lugar não saber explicar por que, só saber que é. Talvez não exista uma expressão maior de perdição e desejo na música brasileira.

# Jorge e Benny

**Do baú.** Jorge Luis Borges e Benny Goodman morreram ao mesmo tempo, em junho de 1986. Há 19 anos. Na época, imaginei-os esbarrando um no outro, na chegada.

— Perdona-me.
— Sorry.
— Es por aqui?
— Não sei. Também acabei de chegar.
— Borges. Argentina.
— Goodman. Estados Unidos.
— Goodman... Goodman...
— O Rei do *Swing*.
— Ah!
— E você?
— Bem, eu inventei este labirinto. Modestamente.
— Como, inventou, se eu estou nele?

— É difícil explicar. Escrevi vários livros não explicando exatamente isto. Minha idéia da morte era esta: o último labirinto. Por alguma razão, encontro você aqui. Tem certeza que eu não o inventei também?

— Pouco provável. Judeu? Brooklyn? Tocava clarinete?

— É, acho que não. Às vezes penso que eu inventei tudo. Que a vida foi só uma coisa que eu imaginei. As estrelas, o universo, eu mesmo. Tudo imaginação minha.

— Se você inventou este labirinto, como é que não sabe o caminho?

— Se fosse um caminho, não seria um labirinto. Você tem pouca imaginação, para um rei.

— Pouca imaginação? O que você me diz disto: spiriapau-bupi-pidau-cacapidau-bop!

— O que foi isso?

— Uma frase musical. Inventei na hora. Se eu tivesse o meu clarinete aqui você ia ver imaginação.

— A música sempre me pareceu a forma mais árida de retórica. A literatura é um labirinto sem saída. A música não tem nem entrada. É uma geometria inútil.

— E o tango?

— O tango não é nem literatura nem música. É o contrário.

— A música é um caminho, com começo, meio e fim. E o *jazz* é um atalho secreto.

— Sempre desconfiei da espontaneidade. Nossas vidas seriam mais suportáveis se as pudéssemos viver só depois da terceira revisão.

— Olha, é melhor ir cada um para um lado. Um de nós encontrará o caminho. Ou você inventará um e eu improvisarei outro.

— Mas você não vê? Não há caminhos. Este é o último labirinto, o que leva sempre ao lugar em que a gente já está. É o que eu chamo de "eternidade".

— E eu vim cair logo na sua idéia de morte...
— Qual era a sua?
— Sei lá. Algo com o chão vitrificado, cortinas, bem anos 30. Uma banda, algumas garotas...
— Jesus.
— Onde?!
— Não, foi um comentário. Acho que só há uma saída.
— Qual?
— Eu estar imaginando tudo isto.

# De Bob Fleming a Joe Bean

Morreu, há poucos dias, o Bob Fleming.* Quem é da minha geração (ainda deve haver alguém consciente por aí, alô?) se lembra do Bob Fleming. Sax tenor. Seus discos vendiam muito no Brasil, mas de repente ele parou de gravar e desapareceu. Nunca se soube por quê. Na verdade, nunca se soube nada sobre Bob Fleming. Pelo nome era americano e branco, mas os discos não traziam sua biografia, não traziam sua foto, não traziam nem o nome dos músicos que o acompanhavam. As publicações especializadas em música o ignoravam, nos Estados Unidos ninguém o conhecia. Qual era o mistério? O mistério, soube-se muito depois, se chamava Moacyr Silva. Um grande saxofonista negro brasileiro que teve o reconhecimento que merecia, principalmente dos seus pares na música, mas sucesso, sucesso mesmo só teve quando foi Bob Fleming por um breve e melodioso momento. Quando o seu sax — e, vá lá, algumas cubas-libres — transformava qualquer agarração juvenil em romance de filme.

Moacyr Silva não tinha o físico para sustentar o pseudônimo, ao contrário, por exemplo, do Farnésio Dutra e Silva, que além de competente pianista tinha a pinta, e uma voz de barítono adequadamente sinátrica, para ser Dick Farney a vida toda. Na mesma época em que Moacyr Silva virou Bob Fleming (e outro pseudo-americano chamado Ed Lincoln também fazia sucesso no Brasil), Cauby Peixoto virou Ron Coby e foi tentar fazer sucesso nos Estados Unidos. Ainda não era a hora. Uma das conquistas da bossa nova foi que, depois do seu estouro lá fora, ninguém mais precisou ser Ron Coby ou coisa parecida em lugar algum. Gente como o Ivan Lins e o João Bosco, sem falar no João Gilberto e descendentes, tem um grande público nos Estados Unidos, qualquer músico brasileiro tem um grande público no Japão e não é exagero ufanista dizer que hoje o Caetano, sem precisar se chamar Kay Tanner, é considerado o melhor cantor do mundo. Aliás, quem disse que ele é foi um crítico do *New York Times*. E o porteiro do edifício do Tom em Nova York só chamava ele de Joe Bean ("Where have you been, Mr. Bean?") porque tinha entendido "Jobim" errado.

Infelizmente, o progresso de Bob Fleming para Joe Bean não ensinou muita coisa a um país onde nenhum edifício novo tem nome em português e entrega de *pizza* se chama *delivery*.

---

* Bob Fleming morreu em 2002.

# Garoto de ouro

**O essencial está na música.** A gente lê a biografia ou autobiografia pelo trivial. Miles Davis escrevendo sobre o seu caso com a Juliette Greco: "Eu saía com Sartre e com Juliette e nós sentávamos nos cafés de calçada e bebíamos vinho e comíamos e conversávamos. Juliette me pediu para ficar. Até o Sartre disse: Por que você e Juliette não se casam?". Ajuda se Jean-Paul Sartre faz parte do seu trivial. Chet Baker não tem nada parecido com Jean-Paul Sartre, Juliette Greco e cafés de calçada em Paris nas suas *Memórias Perdidas*. Ao contrário de Miles (cuja autobiografia, imagino, não saiu em português porque o tradutor não saberia o que fazer com tanto *motherfuckers*, ou saiu?), Chet também não conta muito do trivial que mais interessa a quem gosta de *jazz*: detalhes de gravações, histórias de outros músicos, preferências, influências. Tem-se, isto sim, muito detalhe sobre a sua luta diária por drogas, remédios que substituem drogas, como conseguir drogas em diferentes cidades européias. E nada sobre o que levou a usá-las. Nem um chavão psicológico: infância infeliz, fragilidade emocional, dificuldade de relacionamento, frustração profissional. Chet foi uma criança amada e sem problemas, fez sucesso popular e crítico desde cedo, tinha cara de artista de cinema e também fazia sucesso com as mulheres. Começou com drogas, supõe-se, só porque elas eram parte da cultura do *jazz*. Durante um tempo, antes de se popularizar, maconha e heroína eram coisas de músico nos Estados Unidos, uma musa do barato correspondente à "musa sedenta" que deu título a um livro sobre os escritores americanos e a bebida. Chet não explica nem se desculpa pela trivialização das drogas na sua vida, mas elas eram claramente sua preocupação principal. Ele não conta nem como elas afetavam sua música. Para o leitor, é uma trivialidade apenas deprimente.

Miles, na sua autobiografia, conta que quando encontrou Chet pela primeira vez este se mostrou embaraçado por ter sido escolhido pela revista *Downbeat* como o melhor trompetista de 1953, já que os dois sabiam que o melhor de todos era Dizzy Gillespie. Repetia-se, um pouco, com eles o que tinha acontecido anos antes, quando Louis Armstrong era o grande trompetista do *jazz* mas o mais festejado pelo público — pelo menos por um curto espaço de tempo até sua morte precoce — era Bix Beiderbecke, bonito como Chet, outro *motherfucker* branco tirando o lugar de um negro melhor do que ele. Segundo Miles, Chet o copiava. Não é exatamente verdade. Chet tocava sem vibrato, como Miles, mas não dava para confundir os dois. O fraseado era diferente. Chet era um grande improvisador, um dos melhores da história do *jazz*, mas lhe faltava o que Miles tinha. Pegada, está aí. Musicalmente, não quer dizer nada, mas é a palavra exata.

Chet venceu o concurso da *Downbeat* pela primeira vez no ano da sua primeira gravação, com o famoso quarteto sem piano de Gerry Mulligan. Pequena trivialidade pessoal: foi o primeiro disco de "*jazz* moderno" que comprei, nos Estados Unidos. *Pacific Jazz*, 10 polegadas. Ainda me lembro do deslumbramento. Não era só a novidade da ausência de piano ou qualquer outro instrumento harmônico, com os dois sopros (Gerry no sax barítono, também uma novidade como instrumento solista) equilibrando-se em cima da linha do baixo. Era todo aquele clima ao mesmo tempo *cool* e lírico, a pretensão intelectual de solos em contraponto mais para música erudita do que para *dixieland*, uma revelação de possibilidades sonoras insuspeitadas para alguém que, como eu, ouvia Armstrong, Benny Goodman, Coleman Hawkins e nem sabia que existia o Charlie Parker. A origem do que veio a se chamar West Coast Jazz, *jazz* da costa ocidental, da Califórnia — do qual o quarteto de Gerry Mulligan foi uma das primeiras manifestações — era uma gravação feita por Miles e um noneto, arranjos de Gil Evans e Mulligan entre outros, no fim dos anos 40. Um refinamento do *be-bop*, com arranjos mais pensados e uma maior preocupação com matizes e combinações de som, baseados no trabalho de Gil Evans para a orquestra de Claude Thornhill. Mas o próprio Miles não foi para a Califórnia com o estilo que lançou, ficou no leste e ajudou a lançar o *hard bop*, a contrapartida negra e com pegada ao West Coast Jazz predominantemente branco e cerebral. Em 1953, quando Miles e Chet se encontraram, Miles estava no pior do seu período obscuro, com problemas de saúde pela dependência da heroína, e do qual saiu espetacularmente com uma apresentação triunfal no Festival de Jazz de Newport do ano seguinte. Daí em diante seria a maior e mais influente estrela do *jazz*, lançando estilos novos até o fim. Chet estava no auge, era o recém-descoberto garoto de ouro do *jazz* californiano, mas já era um dependente irreversível e em pouco tempo começaria a sua rotina de prisões, internamentos, exílios temporários, voltas catastróficas e novos exílios, até morrer em 1988, com a cara de quem já tinha morrido algumas vezes.

Chet fala um pouco de Charlie Parker, que lhe deu o primeiro trabalho, escolhendo-o para trompetista da sua banda quando se apresentou na Califórnia, e tentou protegê-lo da droga, apesar de ser um viciado lendário. E fala mais de Gerry Mulligan, da sua vinda de carro de Nova York, da formação do quarteto inesquecível (Carson Smith era o baixista, Chico Hamilton, o baterista), dos seus galhos com mulheres e drogas. Mas fala bem mais de uma certa *lady* Isabella MacDougal Frankau, uma mulher de 75 anos, cabelos brancos e porte de executiva, que apesar do nome e da aparência de grande personagem, só entra na história porque é quem fornece receitas de cocaína e heroína para Chet, dentro do programa de tratamento gradual de viciados na Inglaterra. O essencial está na música.

# Papo cabeça

Então, no meio daquele coquetel de inauguração de qualquer coisa, entre uma mulher que insistia em falar no Uri Geller e um homem que citava Peter Drucker sem parar (ah, os novos profetas!), e fazendo o possível para não ser visto pela grande senhora que há pouco o ameaçara com uma nova teoria da comunicação que trazia escondida entre os seios, ele procurou alívio numa bandeja que passava. Confortai-me com canapés que desfaleço de banalidades.

E pensar que aquela mesma espécie já dera tantos gênios. Compositores, pintores, escritores, pensadores... se fosse possível reuni-los todos num imenso coquetel. Que vitalidade. Que brilho. Principalmente, que conversas!

Imaginemos que aqueles dois ali, em vez de serem um empresário notoriamente analfabeto e um político que fala português de anedota, fossem, digamos, Beethoven e Vincent van Gogh. Aproximemo-nos para ouvir o que dizem os gênios.

Van Gogh aponta para um dos seus ouvidos.

— Fala neste aqui que com o outro eu não ouço.

E Beethoven:

— Hein?

— Fala no outro ouvido. Desse lado não escuto nada.

— O quê?

— Hein?

— Como?

— O outro ouvido! O outro ouvido!

Está bem, não é um bom exemplo. O Picasso chegaria de bermuda e beliscando as mulheres, também não serve. De repente bateriam à porta, o mordomo iria abrir e não veria ninguém. Fecharia a porta, intrigado, e ouviria batidas outra vez. Abriria de novo, sem ver ninguém. E então ouviria uma voz vindo de baixo:

— Sou eu, seu filho de um cão sarnento com uma faxineira da Antuérpia!

É Toulouse-Lautrec. Mais tarde William Faulkner, a caminho do seu décimo sétimo *bourbon*, tropeçará nele e cairá ao comprido no tapete diante de Oscar Wilde que, girando seu absinto no copo, dirá:

— Eu gosto de ter admiradores, mas isso é ridículo.

— Aposto que eles ensaiaram antes só para ele poder dizer a frase — dirá George Bernard Shaw para Sócrates, a seu lado. Este olha com desconfiança para o copo que tem na mão.

— O que será que estão me dando? — pergunta Sócrates.

— Se não é *scotch* é porcaria — setencia Shaw.

— A última bebida que me deram era cicuta.

O rosto de Shaw se ilumina com a deixa.

— Cicuta, pra mim, é um veneno...

Shaw sai de grupo em grupo para contar a própria frase, às gargalhadas, mas a repercussão não é boa. Kant e Victor Hugo se desentenderam por alguma razão, trocaram insultos e o ambiente ficou pesado.

E Wagner martelando no piano com as duas mãos abertas não está ajudando nada. Beethoven é o único que não se incomoda. Van Gogh tapa uma orelha. Salvador Dali tapa os olhos para não ouvir.

Ouve-se um grito vindo de trás de uma porta fechada. A porta se abre e uma mulher seminua sai correndo. Minutos depois, pela mesma porta, ajeitando a gravata, aparece o Marquês de Sade e explica:

— Não é o que vocês estão pensando. Nós estávamos tendo uma discussão filosófica na cama e aí surgiu um hindu louco e puxou o lençol.

Por trás do marquês aparece Mahatma Ghandi, envolto no lençol e pedindo desculpas.

— É que derramei Coca-cola na minha outra roupa e...

Hemingway, rodeado por simbolistas franceses e segurando o copo como uma granada, argumenta:

— Eu (obscenidade) no leite do simbolismo. Eu (obscenidade) no leite das proparoxítonas maricas.

Aristóteles, que tem um copo de leite na mão, afasta-se do grupo prudentemente. A tensão na sala é enorme. Alguém pede silêncio. Vai haver um discurso. O orador é Rui Barbosa. Ouvem-se murmúrios e gemidos. Muita gente começa a se dirigir para a porta de saída tentando não dar na vista.

Não, pensou ele, mastigando um quadradinho de pão coberto com uma pasta vagamente marinha. Seria ótimo reunir os gênios. Mas não num coquetel. Definitivamente, não num coquetel.

# Steinberg, Saul

Há anos eu sonhava com uma visita a Nova York, ou qualquer outro lugar do mundo, que coincidisse com uma exposição de Saul Steinberg.* Finalmente uma exposição de Saul Steinberg — em Porto Alegre. Criança, não procure longe o que pode estar no seu jardim etc. Parece que a exposição é só de reproduções — capas da *New Yorker*, cartazes, coisas impressas —, mas não deixa de ser um dos acontecimentos do ano. Saul Steinberg é um cartunista que cruzou a barreira do preconceito e hoje é considerado um "artista" sério no sentido de "respeitável". E mais, é um dos artistas mais importantes do século XX. Romeno, 65 anos, Steinberg mora nos Estados Unidos, onde acabou, depois de uma carreira no exílio que começou com um curso de arquitetura em Milão (ele disse para o *Time*: "A maioria dos meus colegas foi para a arquitetura como eu fui, como um disfarce ou um álibi", podia estar falando de Porto Alegre, hoje) e passou por Portugal, a República Dominicana e até o Brasil. Na mesma entrevista para o *Time*, ele conta que se formou Dottore in Architetura em 1940, sob o regime fascista.

No seu diploma, concedido em nome de Victor Emmanuel III, rei da Itália, rei da Albânia e (graças a Mussolini) imperador da Etiópia, estava escrito "Steinberg, Saul... di razza Ebraica". Disse ele: "Era uma espécie de precaução para o futuro, significando que embora fosse 'dottore' podia ser impedido de praticar já que sou judeu. A beleza disto para mim é que o diploma foi dado pelo rei, mas ele não é mais rei da Itália. Não é mais rei da Albânia. Não é sequer imperador da Etiópia. E eu não sou arquiteto. A única coisa que resta é 'razza Ebraica'!".

Os Estados Unidos tiveram sobre Steinberg o mesmo efeito que tiveram sobre outros emigrados da cultura européia, como Nabokov. Repulsa e fascinação, em doses iguais. O vazio da sua paisagem urbana, a vulgaridade das suas matronas oxigenadas, o pseudo-rococó da Califórnia (tudo é pseudo na Califórnia), a violência. E também a vitalidade, a criatividade, a generosidade com a arte. Como Woody Allen, outro colaborador constante da *New Yorker*, Steinberg é um nova-iorquino arquetípico. Seu estilo preferido é a paródia, que é a maneira que Nova York tem de se adonar da cultura dos outros, ela que é a capital mundial da cultura e não tem cultura própria, fora os grafites no *subway*. A paródia também é a maneira de a sensibilidade européia participar e ao mesmo tempo manter sua distância da cultura *pop*. É uma das formas que toma a autodepreciação do humor judeu. Steinberg (ainda citando o *Time*) declara: "Deve-se ver muito do meu trabalho como uma espécie de paródia do talento." Um dos mais hábeis artistas gráficos do mundo diz "eu quero criar uma ficção de habilidade". Muitos dos seus quadros são evocativos, de outros estilos, outras técnicas. Ele gosta da caligrafia ultra-elaborada em que o excesso é a sua própria paródia. A paródia também é, finalmente, a arte do expatriado, o equivalente literário do exílio. Steinberg — que falsificou seu passaporte para entrar nos Estados Unidos com um carimbo que ele mesmo produziu — se delicia em imitar timbres e rubricas oficiais, assinaturas ilegíveis, carimbos, toda a ornamentação daquele trágico século do exílio, reduzido ao seu puro encanto gráfico. Em muitas das suas paisagens, o sol é substituído pela paródia de um carimbo.

---

* Saul Steinberg morreu em 1999.

# Armação

Gosto de ler peças inglesas de autores atuais. É um vício respeitável como qualquer outro, certamente melhor do que desmembrar insetos. Já tenho uma boa coleção, de gente como Alan Bennett, Peter Barnes, Peter Nichols, Simon Gray, Alan Ayckbourn, Trevor Griffith, John Osborne e compro tudo o que encontro do Tom Stoppard, o melhor deles todos, ou pelo menos o mais brilhante. Stoppard é tcheco de nascimento, o que talvez explique o seu gosto em brincar com o inglês, com aquela distante fascinação pelo idioma adotado que também tinham Conrad e Nabokov. Às vezes é esperto demais para o seu próprio bem e brilha no vazio, mas o que faz nunca é menos que bem bolado. Uma das suas primeiras e mais célebres bolações foi esse *Rosencrantz e Guildenstern estão mortos*, que ele mesmo adaptou para o cinema e dirigiu.

Stoppard pegou dois dos personagens mais insignificantes da literatura dramática, os amigos de infância de Hamlet convocados para ajudar a escantear o príncipe maluco que depois os sacaneia sem qualquer escrúpulo ou sentido, e construiu em torno deles um sutil estudo sobre o destino, o acaso, a arte — e a significância. Acompanha suas perambulações pelos bastidores de Elsinore, enquanto eles tentam adivinhar o drama em que se meteram no que vislumbram da peça de Shakespeare, a "realidade" à qual vez que outra são chamados para dizer suas falas e depois voltar para sua perplexidade. E o que fazem dois personagens desnecessários quando não estão participando da história que está escrita? Jogos com palavras, trocadilhos, suposições absurdas, bobagem, filosofia. Literatura, enfim, insignificante. São dois cérebros à deriva fora do *script*, num mundo indecifrável, sem memória e sem objetivo, só neurônios se entredevorando enquanto esperam suas deixas. No filme (isto não tem na peça), Rosencrantz (ou é Guildenstern?) antecipa todas as grandes descobertas da física, mas não tem o que fazer com elas. O físico sem teoria, o corpo e suas paixões, sangue, poder, incesto e vingança, é que darão significância a estes cérebros inocentes e determinarão o fim dos seus personagens. Eles saem da história como entraram, sem entender nada e sem servir para nada, salvo a ironia do autor. Como Vladimir e Estragon de Becket, como o Gordo e o Magro, e como você e eu, só para ficar nas duplas. O único que sabe o que está acontecendo e como tudo acaba no filme é o diretor da trupe teatral, pois sabe que tudo, afinal, é uma trama predeterminada. Literalmente uma armação. Por mais longe que a sua mente vá, ela continua dentro de um corpo e o corpo está dentro de uma peça que acaba mal, e não há nada que você possa fazer a respeito. Isto vale tanto para príncipes quanto para coadjuvantes.

Stoppard aproveitou bem os recursos do cinema e encheu o filme com invenções visuais que acompanham as invenções verbais e impedem que uma certa chateação — inevitável, já que os banquetes intelectuais muito fartos embotam tanto quanto uma feijoada — nos invada.

Hamlet já foi feito de todos os jeitos, parece que existe até uma versão para cachorros amestrados, e se você nunca viu antes aproveite esta chance para entrar em Elsinore pela porta de serviço na companhia de dois santos bobos e se divertir com a tragédia toda.

# Duplas

**Alguém, algum dia, deveria fazer um estudo** aprofundado sobre o Amigo do Herói, aquela figura que, desde Sancho Panza, atravessa as narrativas do Ocidente em várias formas, mas com certas características reincidentes. Ele é sempre um suberói, inferior de algum jeito ao herói. Ou é seu criado (Sancho escudeiro de Dom Quixote, o negro enorme que fazia o trabalho braçal para o Mandrake e se chamava como?), ou é seu parceiro porém mais "primitivo" (Tonto com relação ao Zorro), mais burro ou ingênuo (o Magro, Jerry Lewis, Bud Abbot — ou o gordinho era o Lou Costelo?), mais adolescente (Robin, o Centelha companheiro do Tocha Humana) etc. Nos velhos filmes de caubói sempre havia o gozadão amigo do mocinho. O que representa a figura? É o sucedâneo do amigo imaginário que muitos têm na infância, existe apenas como um contraste para realçar as virtudes do herói ou uma platéia sempre pronta para adorá-lo, seria o lado humano, falível ou ridículo do herói transposto para outro, ou ali tem coisa e — segundo a moda de análises mais recentes — todas são claramente relações homossexuais disfarçadas? A coabitação de Sherlock Holmes e Watson sobreviveu à era vitoriana e edwardiana sem levantar suspeitas, mas não resistiu ao psicologismo moderno, o mesmo que questionou o número de vezes em que o Gordo e o Magro apareciam na mesma cama e acabou com a inocência no mundo, e dizem que falta pouco para o Batman e o Robin assumirem. Enfim, respostas com quem se animar a fazer o estudo aprofundado.

Uma vez o Walmor Chagas me pediu uma peça para ele e o Italo Rossi, e inventei uma história em que, por algum artifício teatral que não lembro mais, duplas famosas se misturavam em cena. Sherlock Holmes aprendendo a viver com "Centelha" ("Acenda meu cachimbo, sim, rapaz?"), Watson se esforçando para acompanhar o ritmo de Batman ("Meu velho, será que não tem um calçãozinho um pouco maior?"), Sancho Panza se convencendo de que em matéria de patrões estranhos o Tocha Humana deixava Dom Quixote longe, Robin tentando inutilmente mobilizar o Gordo para a luta contra o Mal, Tonto perdendo a paciência com Mandrake ("Cara pálida tira cigarro aceso do ouvido de Tonto mais uma vez, leva bordoada"), Dom Quixote e Dean Martin não encontrando assunto... Como as combinações eram improváveis, a peça também tinha o Marquês de Sade recebendo *herr* Sacher-Masoch em casa e sendo um anfitrião perfeito, inclusive derramando o chá fervendo no seu pulso em vez de na sua xícara.

# Lições erradas

**Dividimos a história em eras,** com começo e fim bem definidos, e mesmo que a ordem seja imposta depois dos fatos — a gente vive para a frente mas compreende para trás, ninguém na época disse "Oba, começou a Renascença!" — é bom acreditar que os fatos têm coerência, e sentido, e lições. Mas podemos apreender a lição errada.

A gente fala nos loucos anos 20, quando várias liberdades novas começavam a ser experimentadas, e esquece que foi a era que gerou o fascismo e outras formas liberticidas. O espírito da "era do *jazz*" de Scott Fitzgerald foi o espírito totalitário. Prevaleceram não os passos do *charleston*, mas os passos de ganso.

A leitura convencional dos anos 40 é que foram os anos em que os Estados Unidos salvaram a Europa dela mesma. Na verdade, a Segunda Guerra salvou os Estados Unidos. Completou o trabalho do New Deal de Roosevelt e acabou com a crise econômica que sobrara dos anos 30, fortalecendo a sua indústria ao mesmo tempo que os poupava da destruição que liquidou com a Europa, e inaugurou o keynesianismo militar que mantém a sua economia saudável até hoje. O fim da Segunda Guerra foi o começo da era americana. Os americanos salvaram o mundo — e ficaram com ele.

Os plácidos e sem graça anos 50 não foram tão aborrecidos assim. Foram os anos do "existencialismo", de revoluções na arte e na literatura, do nascimento do rock-n'-roll... Já nos fabulosos anos 60, enquanto as drogas, o sexo e a comunhão dos jovens pela paz e contra tudo o que era velho tomavam conta das praças e das ruas, o conservadorismo careta se entrincheirava no poder — Nixon nos Estados Unidos, os generais aqui —, e Margaret Thatcher começava a sua própria revolução. O que foi que aconteceu mesmo nos anos 60?

Quando fizerem a leitura do fim dos anos 90 e da era que começa com 00, qual será a conclusão errada? A de que o mundo está se tornando mesmo uma aldeia global dominada pela técnica ou que está se dividindo cada vez mais entre ricos e pobres, entre inteligência artificial e fundamentalismo, misticismo e outras formas de burrice manobrável e espoliável? E no Brasil? O que foi que nos aconteceu?

Em 30 anos, quando não adiantar mais nada, saberemos.

# As torres do Morandi

**Fui visitar o Giorgio Morandi,** porque sempre gostei muito dele e porque ele se mudou para o nosso bairro e achei que devia lhe dar as boas-vindas, como um bom vizinho. O pintor italiano Giorgio Morandi está morto desde 1964, claro, e o que chegou ao Museu de Arte Moderna de Paris foi uma exposição das suas pinturas e desenhos, mas tudo transcorreu como num encontro com um velho amigo: nenhuma surpresa — Morandi pintou essencialmente a mesma coisa a vida inteira, fui vê-lo porque sabia exatamente o que ia encontrar — e muito prazer. Só não posso dizer que botamos os nossos assuntos em dia porque não teríamos sobre o que conversar. Depois do 11 de setembro, nenhum vivo tem assunto com qualquer morto antigo, fora as banalidades de sempre. A destruição do World Trade Center acabou com toda a possibilidade de diálogo entre as gerações. Nossas referências não batem, quem viu as torres se esfarelarem e quem não viu vivem em universos diferentes, sem comunicação possível. Quem já estava morto na ocasião, então, nem conseguiria conceber de que *catzo* falamos. Mas entre todos os mortos que não nos entenderiam, Morandi talvez não nos entendesse de uma maneira especial.

O que ele pintou quase que exclusivamente a vida inteira foram naturezas-mortas, conjuntos de garrafas, caixas, vasos, vasilhames que ao mesmo tempo se integravam ao fundo e entre si abstratamente e mantinham sua distinção concreta e sólida de coisas. Não foi só porque durante alguns anos aquelas torres em chamas não nos sairão da cabeça que pensei imediatamente nelas vendo as formas verticais de Morandi, as caixas e garrafas longilíneas firmemente postas numa superfície real, com volume, presença e peso, e magicamente postas em outra dimensão, a salvo do tempo, da história, até da interpretação. Tem-se a impressão que os próprios objetos que Morandi reproduzia nos seus conjuntos repetidos eram sempre os mesmos, que ele estava na verdade pintando a sua permanência enquanto a vida e o pintor passavam por eles. Não são as garrafas e as caixas, é a sua existência silenciosa que está nos quadros de Morandi, as coisas que ele retratou são apenas o signo do que nelas é irretratável. Quem acompanhava a sua obra ano a ano devia se divertir com a reincidência dos objetos — aquela cumbuca de novo! — que ele pintava obsessivamente, e era como se cada pintura fosse apenas um novo registro daquele mistério, uma coisa existindo, persistindo em existir. Morandi é o último morto com quem você poderia falar de caixas de ferro evanescentes, de formas que se declaram triunfalmente eternas desaparecendo, e o seu significado mudando, em minutos.

"Natureza-morta" em inglês é *still life*, vida parada, vida em silêncio. O inglês descreve melhor do que o italiano ou o francês o que Morandi fazia. Não aparecem figuras humanas na sua obra. A vida que há nos seus quadros é toda inferida: a mudança na perspectiva de um conjunto, uma ou outra marca de uso na superfície de um dos seus objetos domésticos, um sombreado denunciando a existência de uma fonte de luz em algum lugar real fora do quadro. Nenhum movimento, e tudo se repetindo. O humano só existe na obra de Morandi como contraponto ao que se vê, às coisas reduzidas a elas mesmas e também significando a sua irredutibilidade. Ou: o humano é tudo na obra de Morandi que não se vê. O próprio pintor interfere o menos possível com seu próprio trabalho e deixa que a obsessão o guie. Ou: a única coisa humana na obra de Morandi é a obsessão.

Ele levou uma vida parada. Raramente se afastou de Bolonha, sua cidade natal. Nunca se casou e morava com três irmãs, também solteiras, na casa em que se criaram. Tudo se repetindo. Era um homem comprido e elegante — uma torre incongruente — de hábitos conservadores. Depois de se envolver, na juventude, com o movimento artístico fascista, imagino que mais por ingenuidade do que por convicção, nunca mais se manifestou sobre política ou mesmo, que eu saiba, sobre arte. Não sei se entendia a sua própria obsessão. Gostei de pensar, ao visitá-lo no museu, que estava visitando talvez o último homem tranqüilo do nosso tempo. Na vida parada captada nos seus quadros estava o desprezo das coisas pelo drama humano, mas confesso que eu estava ali justamente para me convencer da transitoriedade da angústia, o sentimento mais humano do momento, e esquecer o drama. Se pudesse passaria o dia com ele, tentando armazenar tranqüilidade para enfrentar o que vem aí. Mas manda a boa educação que as visitas de cortesia sejam curtas e, mesmo, o museu fechava às cinco e meia. De qualquer maneira, é bom pensar que as caixas do Morandi continuavam lá depois do museu fechado, independentemente do nosso olhar e da nossa passagem, sólidas, indestrutíveis, significando apenas sua própria permanência — e silêncio.

# Seios e Rembrandts

Os seios artificialmente aumentados ou remodelados trazem para o mundo das relações humanas, ou ao mundo do sangue quente, uma questão antes restrita às artes e antiguidades, ou ao mundo das coisas caras: o valor exato da autenticidade. No que seios de silicone se parecem com um Rembrandt falso? A resposta quem tem que dar é o – por falta de termo melhor – consumidor, dos seios ou do quadro. Um homem atraído pelos seios perfeitos de uma mulher e o comprador de um caro Rembrandt só têm uma coisa a fazer ao descobrir que os dois, ou os três, no caso, são falsos. Mas o quê?

Digamos que o Rembrandt seja uma falsificação irretocável. Se ninguém se preocupasse em comprovar sua autenticidade minuciosamente, a falsificação nunca seria descoberta. Mas seu comprador, seguindo, talvez, o mesmo raciocínio do admirador dos seios ("Isto é bom demais para ser verdade, não acredito que eu esteja com tudo isto nas minhas mãos!"), decide investigar. E descobre que um determinado componente de um determinado pigmento de uma determinada pincelada não podia ter sido usado em 1640, a suposta data do quadro, porque foi inventado depois. Foi, aliás, inventado no ano passado. Por um mínimo detalhe o Rembrandt deixará de ser um Rembrandt e perderá todo o seu valor – se, claro, seu dono revelar o mínimo detalhe. Ele pode muito bem decidir que as coisas são o que parecem ser e não a soma dos seus detalhes, ou pelo menos de todos os seus detalhes, e recolocar o Rembrandt na parede para seu orgulho e o deleite dos outros.

No outro caso, se o homem não perguntar e a mulher não contar, o fato de os seios perfeitos não serem obras de Deus num momento especialmente inspirado nunca afetará seu relacionamento. A maioria das mulheres que aperfeiçoam os seios não tem problema em ostentar o silicone, mas se elas decidirem, como o dono do hipotético Rembrandt, sustentar que seus seios além de perfeitos são autênticos, não estarão necessariamente usando-os para espantar ou seduzir, ou apenas se sentir bem, de forma desonesta. O que é, afinal, "autenticidade"? Um famoso forjador do século XIX reagiu ao ser comparado com forjadores menores, dizendo que só as suas eram falsificações autênticas. Tudo é subjetivo. E quem disse que as mulheres fazem seios perfeitos para os homens?

Não é o assunto mais, digamos, palpitante do momento, mas os seios falsos têm significados culturais e até filosóficos que transcendem o meramente reflexivo enquanto divagação psicossociológica *per se*.

Recentemente uma celebridade reagiu à idéia de que seus seios não eram seus dizendo que tinha pagado por eles, e, portanto, eles eram mais seus do que os originais. Certíssimo. Com a disposição de não apenas fazer seios novos, mas ostentá-los, e a sua artificialidade, as mulheres (de todos os sexos) resolveram a velha questão, que vinha desde Santo Agostinho, entre Ser um corpo e Ter um corpo. O corpo passou a ser definitivamente uma posse: você não apenas o tem como pode mostrar a fatura.

Seios cirurgicamente aumentados simbolizam a rápida eliminação da distância entre o Homem (aqui representado pela Mulher) e a Técnica, pois o implante de silicone nada mais é do que a interiorização do enchimento que antes elas usavam no sutiã — a Técnica, no caso, sendo a antiga de nos enganar. Este processo de interiorização culminará com a implantação de microchips no cérebro humano e a eventual substituição do cérebro por um processador eletrônico que transformará cada ser humano no seu próprio computador, com o *mouse* localizado, presumivelmente, no umbigo. Os seios artificialmente alentados estão, por assim dizer, na frente da revolução tecnológica. E como, ao contrário do enchimento nos sutiãs, eles são francamente assumidos, também contribuem para diminuir um pouco da hipocrisia nas relações humanas. Hoje, ao verem desfilar um par de seios perfeitos, as mulheres não mais cochicham, especulando se são verdadeiros ou não. Aplaudem abertamente e gritam "O autor, o autor!", para procurá-lo também.

E na medida em que podem escolher os seios (ou o nariz, a boca, a bunda etc.) que usarão, as pessoas tomam as rédeas da própria vida e determinam seu próprio futuro — principalmente numa sociedade em que cada vez mais, figurativamente ou não, peito é destino.

Filosofia, na linha de "se uma palmeira cai numa ilha deserta, longe de qualquer ouvido, ela faz barulho?". Ou "Se ninguém, salvo o falsificador, sabe que um Rembrandt é falso, ele é falso?". Se todos sabem que os seios admirados são falsos, e eles são admirados como falsificações, o conceito de autenticidade não está banido do mundo, inclusive para a avaliação de Rembrandts?

# Interação

Você eu não sei, mas um dos meus terrores é o teatro interativo. A possibilidade de acabar no palco, ou de alguém do palco acabar no meu colo. Sei que a interação com o público é uma antiga tradição teatral. No teatro grego, não era raro alguém da platéia avisar ao Édipo que aquela era a sua mãe, forçando o ator a se fingir de surdo para não estragar a trama. No teatro elisabetano, a platéia assistia às apresentações de pé, comendo e bebendo e interferindo na peça com palpites ou com empadões bem mirados. Contam que alguns vilões de Shakespeare chegavam a interromper suas falas para responder aos insultos mais pesados do público, embora não haja registro de que algum tenha usado sua espada para silenciar alguém.

Em todos esses casos, a iniciativa era da platéia. Foi com o *music-hall* que a participação do público começou a ser incentivada do palco. Mas a não ser por uma eventual corista querendo tirá-lo para dançar ou alguma piada dirigida à sua careca, os espectadores da primeira fila não tinham muito o que temer.

Certamente nada parecido com o que viria com o teatro moderno, quando as primeiras filas se transformaram em áreas de exposição ao vexame — quando não à matéria orgânica. Quando, por assim dizer, o palco contra-atacou.

Ir ao teatro virou uma tortura e as primeiras filas um tormento. Você nunca sabe o que espirrará em você, ou se a mulher nua que sentará no seu colo não começará a morder sua orelha, ou não será um homem. Ou se você não será arrastado para o palco, despido e lambido por todo o elenco.

Dei para pedir lugar nas últimas filas do teatro, longe das ameaças. E se me avisam que eu terei a visão do palco obstruída, digo "melhor!". Não ver o palco significa que não me verão do palco.

*  *  *

De certa forma, a experiência teatral de um espectador moderno repete toda a história do teatro, como o feto repete toda a história da espécie no ventre. Nada se parece mais com o teatro de antigamente do que o teatro infantil, onde também há tramas básicas, comédia ingênua, exageros trágicos e catarse. As crianças interferem na história como o público de antigamente, vaiando os vilões, incentivando os heróis, avisando aos berros que o lobo vai atacar e, não raro, subindo no palco para impedir o ataque. E por mais que façam, não são punidos. Continuam sendo "amiguinhos" e convidados a voltar por atores agradecidos, que muitas vezes precisam se controlar para não esgoelar o mais próximo, assim como eram toleradas as intromissões do público antigo. Quando fica adulto, o espectador aceita os abusos do teatro adulto como uma forma de contrição: ele merece qualquer vexame, de tanto que chateou quando era um espectador infantil. A agressividade do teatro moderno com o público, na verdade, é vingança.

Quem é tímido não tem nada a ver com tudo isto. Quando era pequeno, era dos poucos que ficava quieto no seu lugar do teatro, salvo por um ou outro sobressalto com o lobo. E no entanto, hoje, muitas vezes, é ele o escolhido para a interação, e para viver, sem merecer, o seu pior pesadelo. Não que ele não tente de tudo para evitar o vexame. Para não se arriscar, pede um lugar nas últimas filas. Especifica: quer um lugar ruim, de preferência sem visão do palco, para também não ser visto do palco. Mesmo assim, fica nervoso. Quando batem no seu ombro, ele grita, "Eu não! Eu não!", até se dar conta de que é apenas alguém querendo entrar na sua fila e que a peça ainda nem começou. Quando começa a peça, ele fica preparado. E ao menor sinal de interação — nem que seja um ator que se aproxime muito do proscênio ou olhe para a platéia de um modo suspeito — ele não hesita. Foge para a rua. Correndo, pois há sempre a possibilidade de o elenco vir atrás dele.

# A travessia

O centenário do nascimento de Theodor Adorno* está sendo devidamente comemorado este ano. Adorno foi um dos tantos intelectuais e cientistas europeus que fugiram dos nazistas para a América, no mais importante movimento migratório da história depois do provocado por outro flagelo, o do escravismo. Adorno foi para os Estados Unidos em 1938. Seu colega no Instituto de Pesquisa Social de Frankfurt, Walter Benjamin, demorou a segui-lo. Ficou na França, foi internado pelos alemães, finalmente conseguiu um visto dos americanos e rumou para a fronteira com a Espanha. Sua passagem pela fronteira seria tranqüila, mas, por uma pequena questão burocrática, foi adiada para o dia seguinte e o grupo de Benjamin teve que dormir na pequena cidade de Port Bou, ao pé dos Pirineus. Naquela noite, 26 de setembro de 1940, Benjamin se matou com uma *overdose* de morfina.

Nunca ficou claro por que Benjamin demorou para fugir e por que se suicidou. Ele tinha escrito que viera ao mundo "sob o signo de Saturno, o astro com a rotação mais lenta, o planeta dos desvios e dos atrasos". Susan Sontag, num ensaio sobre Benjamin (intitulado "Sob o signo de Saturno"), disse que ele era dominado pela melancolia, e que tinha o pendor da personalidade saturnina pela solidão. Mas a sua era uma solitude ativa e desafiadora, que tanto lhe permitia a observação cosmopolita do *flaneur* tipificado por Baudelaire, outro melancólico em movimento e um dos seus heróis intelectuais, como independência das ortodoxias marxistas de Adorno e seus pares. Pode-se especular que, frustrado pelo adiamento na fronteira, enojado pelas indignidades acumuladas que sofrera e doente, Benjamin tenha apenas se negado mais vida e optado por outra forma de fuga. Segundo Sontag, ele achava que era um tipo em extinção, que tudo que ainda havia de valor no mundo era o último exemplar, como o surrealismo, que era a última expressão, apropriadamente niilista, da inteligência européia. Deixou incompleta a sua maior obra (publicada há pouco) sobre as "arcades", as galerias de Paris, que chamava de a capital do século XIX. A capital de um mundo que — talvez tenha pensado, antes da morfina — terminava ali. Em vez de outro refugiado na América, preferiu ser também o último exemplar da sua espécie, e o ponto final de uma certa Europa.

Roberto Calasso conta no seu livro *I quarantanove gradini* que depois da guerra Hannah Arendt procurou em vão pela sepultura de Benjamin no cemitério de Port Bou, que descreveu como um dos mais belos que já conhecera. Hoje a sepultura existe. O interesse de turistas era tão grande que o cemitério providenciou uma com o nome dele. O lugar é bonito, diz Calasso, mas "a sepultura é apócrifa". Ninguém sabe onde Benjamin está passando a eternidade.

\*\*\*

Se não fosse o escravismo e a diáspora forçada da África nós não teríamos o samba, o *jazz* e todos os ritmos caribenhos, sem falar nas outras contribuições dos negros para a nossa cultura e alegria. O mesmo tipo de elogio por vias tortas pode ser feito ao comunismo, ao fascismo e outros ismos persecutórios, que mandaram tantos artistas e cientistas para a América. Gente como Billy Wilder, Saul Steinberg e Vladimir Nabokov teriam o mesmo talento se não tivessem que fugir de Hitler, de Mussolini e dos bolcheviques, mas sua arte não seria a mesma sem a marca do exílio — e sem a oportunidade que encontraram no lugar do seu destero. Foi esta oportunidade oferecida pela rica e empreendedora América, a "chance" e os meios, mais, talvez, do que a liberdade, que atraíram os cientistas da Europa para também fazerem a sua arte no exílio. O exemplo mais notório dessa arte aplicada é a bomba atômica. Num universo sem relativização moral, um filme do Wilder, um desenho do Steinberg, um livro do Nabokov, e a bomba — e mais um solo do Charlie Parker — poderiam ser exibidos num mesmo espaço, ilustrando o mesmo tema: os frutos da travessia.

---

\* Adorno nasceu em 11/9/1903.

# Mulheres bonitas

Já escrevi que as belezas legendárias — os protótipos clássicos, as sedutoras bíblicas e todas as mulheres irresistíveis da história antes da fotografia — talvez não resistissem a uma câmera, e à comparação com as beldades produzidas de hoje. Mas talvez seja o contrário: hoje a fotografia e seus truques embelezam qualquer uma, bonitas mesmo eram as mulheres antigas que conquistaram sua reputação sem refletores. Os padrões de beleza mudam com o tempo, o que também prejudica a comparação. As rubicundas mulheres de Rubens, descontado o provável gosto pessoal do pintor, representavam o ideal de beleza bem fornida da sua época, mulheres com mais para ver e agarrar. Já ninguém duvida de que a Vênus marítima de Boticelli poderia sair do quadro direto para uma passarela amanhã, só parando no caminho para tirar a areia dos pés.

  As pinturas são o nosso único meio de saber o que era considerado mulher bonita, de época em época, no passado. As loiras do Boticelli continuam à nossa volta, todas de pretinho. Mas a duquesa de Alba, supostamente retratada por Goya como a famosa Maja, não justifica sua fama e não faria sucesso, hoje, nem vestida nem nua. Goya pintou algumas mulheres de beleza "moderna", seja isso o que for, no entanto. Como a "Señora Sabasa Garcia", que está na Galeria Nacional de Washington, mas poderia estar no cinema. E não se diga que Goya era um retratista bajulador. Seu quadro da família de Carlos VI é certamente o mais impiedoso retrato do poder jamais feito, a corte em toda a sua pretensão e feiúra, representando a corrupção e o despotismo que dominavam a Espanha. Ele pintava o que via. E a Mona Lisa entraria em alguma novela da Globo sobre a colonização italiana? Talvez, mas como empregada.

Mesmo há pouco tempo, no Brasil, os padrões de beleza eram outros. Bonito era a mulher estilo "violão", vedetes coxudas do tipo Rubens de bolso. Se poderia até atribuir o gosto atual por mulheres longilíneas, e loiras, ao colonialismo cultural se uma das matrizes do novo padrão não estivesse na Florença do século XV.

# Pensar sobre pensar

O cérebro humano é uma coisa tão complexa que nem o cérebro humano é complexo o bastante para entendê-lo. Era só o que eu queria contribuir para o desânimo geral destes dias, obrigado. Não, o certo é que nunca entenderemos o nosso cérebro como nunca entenderemos as últimas razões do Universo — ou, pensando bem, as primeiras. Os limites da especulação sobre o fim e a origem da matéria e os limites do pensamento sobre o pensamento são os limites do conhecimento humano. O que não impede alguns malucos de continuarem a tentar expandi-los.

No campo do conhecimento do cérebro, ou do pensamento sobre o pensamento, está havendo uma guerra de teorias parecida com uma questão religiosa de alguns séculos atrás. Que, pelo menos para os religiosos, continua. Discutia-se então a divisão entre corpo e mente. Ou alma, ou que outro nome tivesse uma essência humana separada da biológica. Na neurociência, chegou-se, não faz muito, a um consenso mecanicista do cérebro como uma planta eletroquímica e do seu funcionamento como os processos desta incrível usina, complicada além da imaginação, mas não além da biologia. O que desgostou os psicólogos mas parecia incontestável. Agora tem gente dizendo que mente e cérebro são duas coisas completamente diferentes. Usando uma analogia com que Santo Agostinho não contava, no seu tempo, dizem que o cérebro é um computador e a mente é um programa. *Hardware* e *software*, em português claro. Ou seja, dois cérebros exatamente iguais podem ter mentes diferentes. Há fantasmas, afinal, dentro da usina. A natureza dessa alma reabilitada, claro, continua um mistério. Os limites do nosso autoconhecimento só chegaram um pouco mais para lá.

Sempre me pareceu enlouquecedor que os sonhos, justamente a oportunidade que nosso cérebro tem de falar conosco a sós, sejam em código, em linguagem simbólica, geralmente ininteligível. Não estamos nem acordados para poder dizer "fala sério!". A explicação seria que sonhos são o cérebro brincando de mente, o *hardware* sem um *software* para lhe dar coerência e objetivo exercitando seus circuitos, apenas mantendo-se aceso. De vez em quando surge um enredo, uma seqüência, uma sugestão de sentido ou mensagem, e são destes sonhos que a gente se lembra. Mas não querem dizer nada. São como os rabiscos de um macaco, que de repente, sem querer, desenha uma cara. Se alguém um dia nos explicar o cérebro, não será o nosso cérebro.

# Coleção Ver!ssimo

## AS MENTIRAS QUE OS HOMENS CONTAM
Os homens não mentem, no máximo inventam histórias para proteger as mulheres que os cercam – mães, namoradas, esposas, amigas. Como um arguto observador do cotidiano, Verissimo nos apresenta uma divertida galeria de mentirosos que dizem qualquer coisa para preservar a própria espécie – 166 págs.

## A MESA VOADORA
Estamos no topo da cadeia alimentar dos bichos de sangue quente e somos da categoria dos predadores: comemos de tudo, da baleia ao *escargot*. Assim Verissimo analisa a espécie, nos ajuda a compreender fomes diversas e alivia culpas, se elas ainda existirem. Um livro para ser degustado com alegria e prazer – 152 págs.

## COMÉDIAS PARA SE LER NA ESCOLA
Para gostar de ler, eis a sugestão: textos curtos, fáceis, divertidos, escritos numa linguagem clara e parecida com a que a gente fala todo dia. Assim são os textos de Verissimo, selecionados pela escritora Ana Maria Machado, especialmente para o leitor jovem – 145 págs.

## SEXO NA CABEÇA
Quando o assunto é sexo, não faltam histórias e confissões apaixonadas. Afinal quem não se lembra da primeira vez? Quem também já não foi protagonista de alguma cena que preferia apagar da memória da humanidade? Sexo na cabeça reúne 47 das melhores histórias escritas por Verissimo sobre o assunto – 148 págs.

## TODAS AS HISTÓRIAS DO ANALISTA DE BAGÉ
Um dos personagens mais queridos do público. Um clássico do humor nacional. O livro reúne os melhores momentos do célebre psicanalista que trata seus pacientes aos joelhaços – 80 págs.

---

Conheça mais sobre nossos livros e autores no site
www.objetiva.com.br
Disque-Objetiva: (21) 2233-1388

Este livro foi impresso na
LIS GRÁFICA E EDITORA LTDA.
Rua Felício Antônio Alves, 370 – Bonsucesso
CEP 07175-450 – Guarulhos – SP
Fone: (11) 3382-0777 – Fax: (11) 3382-0778
lisgrafica@lisgrafica.com.br – www.lisgrafica.com.br